#홈스쿨링
#혼자 공부하기

똑똑한
하루 한자

똑똑한 하루 한자
시리즈 구성 예비초~4단계

우리 아이 한자 학습 첫걸음

8급

1단계 A, B, C

7급Ⅱ

2단계 A, B, C

7급

3단계 A, B, C

6급Ⅱ

4단계 A, B, C

똑똑한
하루
한자 ♥

4주 완성 스케줄표

4단계 **C**

⭐ 공부한 날짜를 써 봐!

1주

1일 10~19쪽	2일 20~25쪽	3일 26~31쪽	4일 32~37쪽	5일 38~43쪽	특강
마음 한자	마음 한자	마음 한자	마음 한자	마음 한자	
勇 날랠 용 氣 기운 기	反 돌이킬/돌아올 반 省 살필 성/덜 생	不 아닐 불 信 믿을 신	孝 효도 효 心 마음 심	注 부을 주 意 뜻 의	44~51쪽
월 일	월 일	월 일	월 일	월 일	월 일

힘을 내! 넌 최고야!

2주

1일 52~61쪽	2일 62~67쪽	3일 68~73쪽	4일 74~79쪽	5일 80~85쪽	특강
마음 한자	마음 한자	마음 한자	마음 한자	상태 한자	
道 길 도 理 다스릴 리	幸 다행 행 運 옮길 운	正 바를 정 直 곧을 직	便 편할 편/똥오줌 변 安 편안 안	長 긴 장 短 짧을 단	86~93쪽
월 일	월 일	월 일	월 일	월 일	월 일

 배운 내용은 꼭꼭 복습하기!

3주

1일 94~103쪽	2일 104~109쪽	3일 110~115쪽	4일 116~121쪽	5일 122~127쪽	특강
행동 한자	행동 한자	행동 한자	행동 한자	행동 한자	
始 비로소 시 作 지을 작	出 날 출 發 필 발	對 대할 대 立 설 립	利 이할 리 用 쓸 용	消 사라질 소 火 불 화	128~135쪽
월 일	월 일	월 일	월 일	월 일	월 일

 마지막 4주 공부 중. 감동이야!

4주

1일 136~145쪽	2일 146~151쪽	3일 152~157쪽	4일 158~163쪽	5일 164~169쪽	특강
기타 한자	기타 한자	기타 한자	기타 한자	기타 한자	
後 뒤 후 半 반 반	成 이룰 성 功 공 공	大 큰 대 戰 싸움 전	第 차례 제 一 한 일	音 소리 음 樂 즐길 락/노래 악/좋아할 요	170~177쪽
월 일	월 일	월 일	월 일	월 일	월 일

Chunjae
Makes
Chunjae

▼

똑똑한 하루 한자 4단계 C

편집개발	이수현, 정병수, 최은혜
디자인총괄	김희정
표지디자인	윤순미
내지디자인	박희춘, 조유정
삽화	강일석, 권순화, 김수정, 이은영, 이혜승
제작	황성진, 조규영

발행일	2022년 2월 1일 초판 2022년 2월 1일 1쇄
발행인	(주)천재교육
주소	서울시 금천구 가산로9길 54
신고번호	제2001-000018호
고객센터	1577-0902

똑 똑 한

하루
한자

단계
4
C
6급II 기초3

구성과 활용 방법

한 주 미리보기

미리보기 활동

미리보기 만화

일일 학습

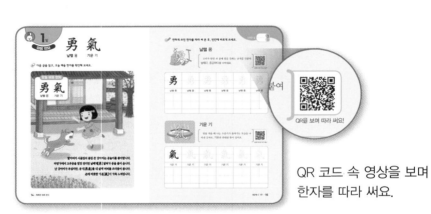

이야기를 읽으며
오늘 배울 한자를 만나요.

QR 코드 속 영상을 보며
한자를 따라 써요.

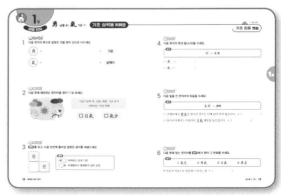

재미있는 만화로 생활 속 한자어를 익혀요.

핵심 문제로 기초 실력을 키워요.

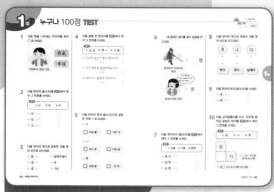

한 주 마무리

누구나 100점 TEST

문제를 풀며 한 주 동안
배운 내용을 확인해요.

특강

생각을 키워요

창의·융합·코딩 문제로
재미는 솔솔, 사고력은 쑥쑥!

부록

한자 카드로 더욱
재미있게 공부해요!

공부할 내용

3주

행동 한자

4주

기타 한자

6급Ⅱ 배정 한자 총 225자

□은 4단계-C 학습 한자입니다.

ㄱ						
歌	家	各	角	間	江	車
노래 가	집 가	각각 각	뿔 각	사이 간	강 강	수레 거/차
計	界	高	功	公	空	工
셀 계	지경 계	높을 고	공 공	공평할 공	빌 공	장인 공
共	科	果	光	敎	校	球
한가지 공	과목 과	실과 과	빛 광	가르칠 교	학교 교	공 구
口	九	國	軍	金	今	急
입 구	아홉 구	나라 국	군사 군	쇠 금/성 김	이제 금	급할 급
旗	記	氣	南	男	內	女
기 기	기록할 기	기운 기	남녘 남	사내 남	안 내	여자 녀
年	農	短	答	堂	代	對
해 년	농사 농	짧을 단	대답 답	집 당	대신할 대	대할 대
大	圖	道	讀	冬	洞	東
큰 대	그림 도	길 도	읽을 독/구절 두	겨울 동	골 동/밝을 통	동녘 동
童	動	同	等	登	樂	來
아이 동	움직일 동	한가지 동	무리 등	오를 등	즐길 락/노래 악/좋아할 요	올 래
力	老	六	理	里	利	林
힘 력	늙을 로	여섯 륙	다스릴 리	마을 리	이할 리	수풀 림
立	萬	每	面	命	明	名
설 립	일만 만	매양 매	낯 면	목숨 명	밝을 명	이름 명
母	木	文	聞	門	問	物
어머니 모	나무 목	글월 문	들을 문	문 문	물을 문	물건 물

民	ㅂ 班	反	半	發	放	方
백성 민	나눌 반	돌이킬/돌아올 반	반 반	필 발	놓을 방	모 방
百	白	部	父	夫	北	分
일백 백	흰 백	떼 부	아버지 부	지아비 부	북녘 북/달아날 배	나눌 분
不	ㅅ 四	社	事	山	算	三
아닐 불	넉 사	모일 사	일 사	메 산	셈 산	석 삼
上	色	生	書	西	夕	先
윗 상	빛 색	날 생	글 서	서녘 서	저녁 석	먼저 선
線	雪	成	省	姓	世	所
줄 선	눈 설	이룰 성	살필 성/덜 생	성 성	인간 세	바 소
消	小	少	水	數	手	術
사라질 소	작을 소	적을 소	물 수	셈 수	손 수	재주 술
時	始	市	食	植	神	身
때 시	비로소 시	저자 시	밥/먹을 식	심을 식	귀신 신	몸 신
信	新	室	心	十	ㅇ 安	藥
믿을 신	새 신	집 실	마음 심	열 십	편안 안	약 약
弱	語	業	然	午	五	王
약할 약	말씀 어	업 업	그럴 연	낮 오	다섯 오	임금 왕
外	勇	用	右	運	月	有
바깥 외	날랠 용	쓸 용	오른 우	옮길 운	달 월	있을 유
育	飮	音	邑	意	二	人
기를 육	마실 음	소리 음	고을 읍	뜻 의	두 이	사람 인
日	一	入	ㅈ 字	自	子	昨
날 일	한 일	들 입	글자 자	스스로 자	아들 자	어제 작

作	長	場	才	電	戰	前
지을 작	긴 장	마당 장	재주 재	번개 전	싸움 전	앞 전
全	庭	正	弟	題	第	祖
온전 전	뜰 정	바를 정	아우 제	제목 제	차례 제	할아버지 조
足	左	注	主	住	中	重
발 족	왼 좌	부을 주	임금/주인 주	살 주	가운데 중	무거울 중
地	紙	直	集	ㅊ 窓	川	千
땅 지	종이 지	곧을 직	모을 집	창 창	내 천	일천 천
天	淸	靑	體	草	寸	村
하늘 천	맑을 청	푸를 청	몸 체	풀 초	마디 촌	마을 촌
秋	春	出	七	ㅌ 土	ㅍ 八	便
가을 추	봄 춘	날 출	일곱 칠	흙 토	여덟 팔	편할 편/똥오줌 변
平	表	風	ㅎ 下	夏	學	漢
평평할 평	겉 표	바람 풍	아래 하	여름 하	배울 학	한수/한나라 한
韓	海	幸	現	形	兄	花
한국/나라 한	바다 해	다행 행	나타날 현	모양 형	형 형	꽃 화
話	火	和	活	會	孝	後
말씀 화	불 화	화할 화	살 활	모일 회	효도 효	뒤 후
休						
쉴 휴						

함께 공부할 친구들

주 미리보기 에서 만나요!

친절하고 배려심이 많은
푸름 탐정

똑부러지는 해결 박사
기쁨 탐정

본문 에서 만나요!

단순하지만 마음이
따뜻한 친구 **달이**

정이 많고
똑똑한 친구 **별이**

1주

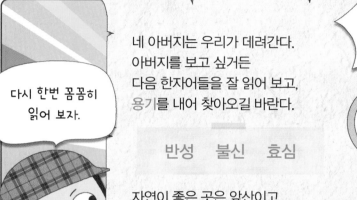

다시 한번 꼼꼼히 읽어 보자.

네 아버지는 우리가 데려간다. 아버지를 보고 싶거든 다음 한자어들을 잘 읽어 보고, 용기를 내어 찾아오길 바란다.

반성   불신   효심

자연이 좋은 곳은 앞산이고 마음이 통하는 곳은 뒷산이지! 하하하!

추신: 산속에 뱀이 있으니 주의 바람.

뒷산이다!

편지에 적힌 한자어들은 마음을 나타내는 낱말들이고, 마음이 통하는 곳은 뒷산이라고 했잖아!

아하! 맞네. 그럼 빨리 뒷산으로 가 보자.

잠깐! 추신에 뱀을 조심하랬어! 난 뱀이 세상에서 제일 무서워. 난 여기서 경찰에 신고할 테니 둘이 다녀와!!!

신고는 이미 내가 했어! 빨리 가자고.

히잉

✦ 이번 주에 배울 한자를 [보기]의 순서대로 선으로 이어 심청이 아버지를 찾게 해 주세요.
그리고 그중 빨간색으로 표시된 한자의 음(소리)을 ☐ 안에 써서 문구를 완성하세요.

보기

勇 날랠 용 → 氣 기운 기 → 反 돌이킬/돌아올 반 → 省 살필 성/덜 생 → 不 아닐 불

→ 信 믿을 신 → 孝 효도 효 → 心 마음 심 → 注 부을 주 → 意 뜻 의

1주

□녀 심청의 □기!

勇 氣

날랠 용   **기운 기**

🔍 다음 글을 읽고, 오늘 배울 한자를 확인해 보세요.

오늘 배울 한자

勇 氣

날랠 용   **기운 기**

할아버지 시골집의 몸집 큰 강아지는 공놀이를 좋아합니다.
마당가에서 고무공을 힘껏 던지면 날쌔게[勇] 달려가 공을 물어 옵니다.
난 강아지가 무섭지만, 용기(勇氣)를 내 살짝 머리를 쓰다듬어 봅니다.
손에 따뜻한 기운[氣]이 가득 느껴집니다.

날랠 용

고리가 달린 쇠 종에 힘을 뜻하는 글자를 덧붙여 날래다, 용감하다를 나타내요.

QR을 보며 따라 써요!

勇	勇	勇	勇	勇	勇
날랠 용	날랠 용	날랠 용	날랠 용	날랠 용	날랠 용

1주

기운 기

밥을 지을 때 나는 수증기가 올라가는 모습을 나타낸 글자로, 기운과 관련된 뜻이 있어요.

QR을 보며 따라 써요!

氣	氣	氣	氣	氣	氣
기운 기	기운 기	기운 기	기운 기	기운 기	기운 기

勇 날랠 용 | **氣** 기운 기

한자어를 익혀요

주말에 할아버지 댁에 다녀왔다며?

응. 일기(日氣)도 좋고 기분(氣分)도 좋았어.

어! 강아지다. 저쪽으로 피하자!

나 이제 강아지 무섭지 않아. 예전의 내가 아니라고!

예전에는 강아지만 보면 멀리 돌아가더니…… 그러고 보니 두려워하는 기색(氣色)이 하나도 없네.

할아버지 댁에서 강아지랑 공놀이도 하고, 용기(勇氣)를 내어 머리도 쓰다듬어 보았어!

오, 겁나지 않았어?

조금 겁이 났는데, 꼬리를 흔들며 좋아하기에 소용(小勇)을 얻어 살짝 안아도 보았는걸?

그 뒤로 내가 계속 강아지를 훈련시켰다니까.

이참에 강아지 훈련사가 되어 용명(勇名)이라도 떨쳐 보지 그러니?

너 지금 나 놀리는 거지?

알았어. 여기 조그만 늑대부터 제대로 훈련시켜야겠군!

앗! 난 바빠서 이만…….

쌩—

야! 거기 서지 못해!

🔍 '勇(날랠 용)'과 '氣(기운 기)'가 들어간 한자어를 알아봅시다.

용기(勇氣)

	氣
날랠 용	기운 기

뜻 씩씩하고 굳센 기운

일기(日氣)

日	
날 일	기운 기

뜻 그날그날의 비, 구름, 바람, 기온 등이 나타나는 기상 상태

소용(小勇)

小	
작을 소	날랠 용

뜻 작은 용기. 하찮은 일로 솟는 소소한 용기

기분(氣分)

	分
기운 기	나눌 분

뜻 유쾌함이나 불쾌함과 같은 감정

용명(勇名)

	名
날랠 용	이름 명

뜻 용감하고 사납다는 명성

기색(氣色)

	色
기운 기	빛 색

뜻 마음의 작용으로 얼굴에 드러나는 빛

勇 날랠 용 | 氣 기운 기

기초 실력을 키워요

1 다음 한자의 뜻으로 알맞은 것을 찾아 선으로 이으세요.

勇 ·

氣 ·

· 기운

· 날래다

2 다음 뜻에 해당하는 한자어를 찾아 V표 하세요.

그날그날의 비, 구름, 바람, 기온 등이
나타나는 기상 상태

☐ 日氣   ☐ 氣分

3 힌트를 보고, 다음 빈칸에 들어갈 알맞은 글자를 써넣으세요.

용 ☐

☐ 분

힌트
• 용 ☐ : 씩씩하고 굳센 기운
• ☐ 분 : 유쾌함이나 불쾌함과 같은 감정

🐰 급수 유형

4 다음 한자의 뜻과 음(소리)을 쓰세요.

> 보기
>
> 計 → 셀 계

(1) 勇 → (   )

(2) 氣 → (   )

🐰 급수 유형

5 다음 밑줄 친 한자어의 독음을 쓰세요.

> 보기
>
> 生計 → 생계

(1) 전쟁터에서 **勇名**을 떨치던 장수는 이제 남아 있지 않습니다. → (   )

(2) 할아버지께서는 아침마다 **日氣** 예보를 들으십니다. → (   )

🐰 급수 유형

6 다음 뜻에 맞는 한자어를 보기 에서 찾아 그 번호를 쓰세요.

> 보기
>
> ① 氣色   ② 勇氣   ③ 日氣   ④ 勇名

● 마음의 작용으로 얼굴에 드러나는 빛 → (   )

反 省

돌이킬/   살필 성/
돌아올 반   덜 생

🔍 다음 글을 읽고, 오늘 배울 한자를 확인해 보세요.

교통 신호를 지키지 않아 엄마한테 꾸중을 들었어요.
차도 오지 않고 사람도 없어서 신호등을 살피지[省] 않고 길을 건넜는데,
시장에 갔다 오시던 엄마가 보신 거예요.
사고는 예측할 수 없고 돌이킬[反] 수도 없으니
교통 신호를 잘 지켜야겠다고 반성(反省)했어요.

오늘 배울 한자

反 省

돌이킬/   살필 성/
돌아올 반   덜 생

✏️ **연하게 쓰인 한자를 따라 써 본 후, 빈칸에 바르게 쓰세요.**

돌이킬/돌아올 반

손으로 무엇인가를 잡으려는 듯한 모습을 나타 낸 글자로, **돌이키다, 돌아오다**를 뜻해요.

QR을 보며 따라 써요!

反	反	反	反	反	反
돌이킬/돌아올 반	돌이킬/돌아올 반	돌이킬/돌아올 반	돌이킬/돌아올 반	돌이킬/돌아올 반	돌이킬/돌아올 반

1주

살필 성/덜 생

초목을 바라보고 있는 모습을 표현한 글자로, **살 피다[성], 덜다[생]**를 뜻해요.

QR을 보며 따라 써요!

省	省	省	省	省	省
살필 성/덜 생	살필 성/덜 생	살필 성/덜 생	살필 성/덜 생	살필 성/덜 생	살필 성/덜 생

2일

마음 한자

反 돌이킬/돌아올 반 | 省 살필 성/덜 생

한자어를 익혀요

엄마, 죄송해요. 다음부터는 신호등 꼭 지킬게요.

그래. 반성(反省)하니 되었구나.

건널목을 건널 땐 늘 조심해야 해. 앞만 보지 말고 반대(反對)쪽도 살펴보고……

예, 알았어요. 화장실도 급하고, 차도 없고 해서 그만……. 많이 자성(自省)하고 있어요.

잠시 후

엄마, 뭐 먹을 거 없어요?

밥 먹은 지 얼마나 되었다고 벌써 배가 고플까?

헤헤. 간식은 절대 생략(省略)할 수 없어요!

쳇! 넌 어째 갈수록 공부 시간은 줄어드는 반면(反面) 먹는 시간만 느는 거니?

누난 뭐 잘하는 게 있어? 맨날 웃었다 울었다 웬 변덕인지 반문(反問)하지 않을 수 없다고!

호호호, 그만 싸우렴! 꼭 강아지들 재롱 같구나!

으으~재롱… ㅠㅠ

으으~ 강아지…

'反(돌이킬/돌아올 반)'과 '省(살필 성/덜 생)'이 들어간 한자어를 알아봅시다.

돌이킬/
돌아올 반

省 살필 성
덜 생

반대(反對)

對

| 돌이킬/돌아올 반 | 대할 대 |

뜻 등지거나 서로 맞섬.

반성(反省)

反

| 돌이킬/돌아올 반 | 살필 성/덜 생 |

뜻 잘못이나 부족함이 없는지 돌이켜 봄.

반면(反面)

面

| 돌이킬/돌아올 반 | 낯 면 |

뜻 뒤에 오는 말이 앞의 내용과 상반됨을 나타내는 말

자성(自省)

自

| 스스로 자 | 살필 성/덜 생 |

뜻 자기 자신의 태도나 행동을 스스로 반성함.

반문(反問)

問

| 돌이킬/돌아올 반 | 물을 문 |

뜻 물음에 대답하지 아니하고 되받아 물음.

생략(省略)

略

| 살필 성/덜 생 | 간략할/약할 략 |

뜻 전체에서 일부를 줄이거나 뺌.

1주

한자 확인

1 다음 한자의 뜻에 알맞은 음(소리)을 ☐에 쓰세요.

- 살필 ☐

- 덜 ☐

어휘 확인

2 그림 속 내용이 맞으면 '예', 틀리면 '아니요'에 ◯표 하세요.

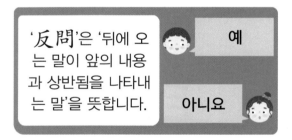

'反問'은 '뒤에 오는 말이 앞의 내용과 상반됨을 나타내는 말'을 뜻합니다.

예
아니요

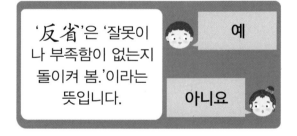

'反省'은 '잘못이나 부족함이 없는지 돌이켜 봄.'이라는 뜻입니다.

예
아니요

어휘 확인

3 다음 한자어에서 밑줄 친 글자의 공통된 뜻을 찾아 ✔표 하세요.

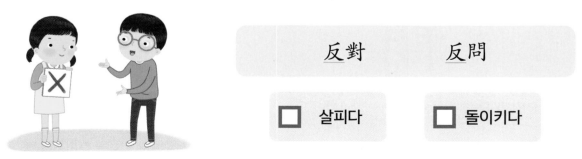

反對   反問

☐ 살피다   ☐ 돌이키다

4 다음 밑줄 친 한자어의 독음을 쓰세요.

보기

勇氣 → 용기

(1) 나는 오늘 친구와 다툰 일을 *反省*하였습니다. → (   )

(2) 엄마의 *反對*로 외식을 하지 못하게 되었습니다. → (   )

5 다음 문장에 어울리는 한자어가 되도록 [   ] 안에 알맞은 한자를 보기 에서 찾아 그 번호를 쓰세요.

보기

① 省   ② 對   ③ 反   ④ 面

(1) 동생은 줄곧 [   ]問을 해서 나를 당황하게 만듭니다. → (   )

(2) 동생한테 윽박지른 것을 自[   ]하였습니다. → (   )

6 다음 뜻에 맞는 한자어를 보기 에서 찾아 그 번호를 쓰세요.

보기

① 反面   ② 反省   ③ 反問   ④ 反對

● 등지거나 서로 맞섬. → (   )

3일

마음 한자

不 信
아닐 불　　믿을 신

🔍 다음 글을 읽고, 오늘 배울 한자를 확인해 보세요.

비밀이 생겼어요. 아무한테도 말하지 못했어요.
엄마 아빠도 믿지[信] 못해 불신(不信)하는 건
아니지만[不], 왠지 가슴이 콩닥거리고 얼굴이
달아올라 무슨 말을 해야 할지 모르겠어요.
눈을 감아도 떠오르는 그 아이의 얼굴.
자신(信) 없이 불(不)안하게 흔들리는 내 마음.
아, 내가 왜 이럴까요?

오늘 배울 한자

不 信
아닐 불　　믿을 신

아닐 불

QR을 보며 따라 써요!

새가 날아 올라가서 내려오지 않음을 본뜬 글자로, **아니다**를 뜻해요.

不	不	不	不	不	不
아닐 불	아닐 불	아닐 불	아닐 불	아닐 불	아닐 불

1주

믿을 신

QR을 보며 따라 써요!

사람의 말은 믿을 수 있어야 하고 거짓이 없어야 한다는 데서 **믿다, 신임하다**라는 뜻을 나타내요.

信	信	信	信	信	信
믿을 신	믿을 신	믿을 신	믿을 신	믿을 신	믿을 신

저 구름은 어디로 흘러갈까?

그 아이는 내 마음을 알까?

양치기 소년 동화에서 우리가 무엇을 배울 수 있었나요?

거짓말하지 말아야 해요!

거짓말을 자주 하면 사람들이 신용(信用)하지 않아요!

불신(不信)을 받으면 아무도 나서서 도와주지 않아요!

별이는?

예?

부주의(不注意)하게 멍하니 무슨 생각을 하고 있니? 선생님 말씀도 안 듣고……

죄송합니다…….

아, 난 왜 이렇게 불행(不幸)할까? 내 마음을 고백할 자신(自信)도 없고, 날 싫어 하면 어쩌나 불안(不安)하기만 하고…….

아, 내 사랑!

벌떡

오, 줄리엣!

히익~

착-

야! 뭐야 너!

팟-

에구구~

🔍 '不(아닐 불)'과 '信(믿을 신)'이 들어간 한자어를 알아봅시다.

 아닐 불

 믿을 신

부주의(不注意)

'ㄷ', 'ㅈ'으로 시작하는 말 앞에서는 '부'로 읽어요.

| 아닐 불 | 부을 주 | 뜻 의 |

뜻 조심을 하지 아니함.

신용(信用)

| 믿을 신 | 쓸 용 |

뜻 믿어 의심하지 아니함.

불행(不幸)

| 아닐 불 | 다행 행 |

뜻 행복하지 아니함.

불신(不信)

| 아닐 불 | 믿을 신 |

뜻 믿지 아니함.

불안(不安)

| 아닐 불 | 편안 안 |

뜻 마음이 편하지 아니하고 조마조마함.

자신(自信)

| 스스로 자 | 믿을 신 |

뜻 스스로 굳게 믿음.

3일

마음 한자

不 아닐 불 | 信 믿을 신

한자 확인

1 다음 한자의 뜻과 음(소리)으로 알맞은 것을 찾아 ∨표 하세요.

不　뜻: ☐ 아니다　☐ 살피다
　　음: ☐ 성　☐ 불

信　뜻: ☐ 돌이키다　☐ 믿다
　　음: ☐ 신　☐ 반

어휘 확인

2 다음 한자어의 뜻으로 알맞은 것을 찾아 선으로 이으세요.

不幸　·

信用　·

· 믿어 의심하지 아니함.

· 행복하지 아니함.

어휘 확인

3 다음 밑줄 친 한자어의 독음으로 알맞은 것에 ∨표 하세요.

자신감을 가지고 슛을 하는 거야!

自信이 없으면 실수하게 마련입니다.

☐ 불신　　☐ 자신

기초 집중 연습

🐰급수 유형

4 다음 문장에 어울리는 한자어가 되도록 [   ] 안에 알맞은 한자를 [보기]에서 찾아 그 번호를 쓰세요.

> [보기]
>
> ① 自   ② 不   ③ 信   ④ 安

(1) 이 일은 제가 [   ]注意해서 벌어진 일입니다. → (   )

(2) 사람은 [   ]用이 있어야 합니다. → (   )

🐰급수 유형

5 다음 뜻에 맞는 한자어를 [보기]에서 찾아 그 번호를 쓰세요.

> [보기]
>
> ① 不信   ② 不幸   ③ 自信   ④ 信用

(1) 믿지 아니함. → (   )

(2) 스스로 굳게 믿음. → (   )

🐰급수 유형

6 다음 한자의 뜻과 음(소리)을 쓰세요.

> [보기]
>
> 反 → 돌이킬/돌아올 반

(1) 不 → (   )

(2) 信 → (   )

孝 心

효도 효   마음 심

🔍 다음 글을 읽고, 오늘 배울 한자를 확인해 보세요.

도서관에 앉아 조용히 책을 읽습니다.

인당수에 몸을 던지는 효심(孝心) 깊은 심청!

아버지의 눈이 뜨이게 하기 위해 목숨까지 바치다니

마음[心]이 안타깝고 아팠습니다.

'심청 언니를 본받아 나도 효도[孝]해야지.' 하고 다짐해 봅니다.

오늘 배울 한자

孝 心

효도 효   마음 심

✏️ **연하게 쓰인 한자를 따라 써 본 후, 빈칸에 바르게 쓰세요.**

효도 효

나이 든 부모님을 등에 업고 봉양하는 아들을 나타낸 글자로, **효도**를 뜻해요.

QR을 보며 따라 써요!

孝	孝	孝	孝	孝	孝
효도 효	효도 효	효도 효	효도 효	효도 효	효도 효

마음 심

사람의 심장 모양을 본뜬 글자로, **마음**을 뜻해요.

QR을 보며 따라 써요!

心	心	心	心	心	心
마음 심	마음 심	마음 심	마음 심	마음 심	마음 심

왜 그렇게 시무룩하니?

응. 책 읽다가 내가 엄마 아빠한테 너무 불효(不孝)했나 싶은 생각이 들어서……

맨날 고집피우고, 심술(心術)부리고……. 넌 어때?

나? 나, 나도 뭐 효자(孝子)는 아니지.

휴~

심청이는 아버지 눈을 뜨게 하려고 인당수에 몸을 던졌어.

그건 잘한 일이 아닌 것 같아. 목숨을 바치면 혼자 남은 아버지는 어떡하라고!

아버지의 눈을 얼마나 뜨게 해 드리고 싶었으면 그랬겠니?

이야기의 주제는 그처럼 효심(孝心) 깊은 심청의 마음이란 말이야.

알았어. 그래도 힘을 내! 효도(孝道)가 뭐 별거니?

우리가 건강하고 씩씩하게 잘 자라는 것도 효도하는 거랬어.

그건 네가 하도 사고뭉치라 안심(安心)이 안 돼 그런 거고!

긁적

에구구…

🔍 '孝(효도 효)'와 '心(마음 심)'이 들어간 한자어를 알아봅시다.

효도 효

마음 심

불효(不孝)

不	
아닐 불	효도 효

뜻 자식 된 도리를 하지 못함.

심술(心術)

	術
마음 심	재주 술

뜻 온당하지 아니하게 고집을 부리는 마음

효자(孝子)

	子
효도 효	아들 자

뜻 부모를 잘 섬기는 아들

효심(孝心)

孝	
효도 효	마음 심

뜻 효성스러운 마음

효도(孝道)

	道
효도 효	길 도

뜻 부모를 잘 섬기는 도리

안심(安心)

安	
편안 안	마음 심

뜻 모든 걱정을 떨쳐 버리고 마음을 편히 가짐.

4일

마음 한자

孝 효도 효 | 心 마음 심

기초 실력을 키워요

1 다음 한자의 뜻과 음(소리)으로 알맞은 것을 찾아 선으로 이으세요.

孝 •

心 •

• 마음 •

• 효도 •

• 효

• 심

2 ◯에 알맞은 글자를 넣어 낱말을 만드세요.

부모를 잘 섬기는 도리

◯도

모든 걱정을 떨쳐 버리고
마음을 편히 가짐.

안◯

3 다음 설명에 해당하는 한자어를 찾아 ◯표 하세요.

설명
효성스러운 마음

孝心

安心

不孝

급수 유형

4 다음 밑줄 친 한자어의 독음을 쓰세요.

보기

不信 → 불신

(1) 모든 행실의 근본인 *孝道* → (   )

(2) *孝心* 깊은 심청 → (   )

급수 유형

5 다음 뜻에 맞는 한자어를 보기 에서 찾아 그 번호를 쓰세요.

보기

① 不孝   ② 孝心   ③ 孝子   ④ 孝道

● 자식 된 도리를 하지 못함. → (   )

급수 유형

6 다음 문장에 어울리는 한자어가 되도록 [   ] 안에 알맞은 한자를 보기 에서 찾아 그 번호를 쓰세요.

보기

① 不   ② 心   ③ 子   ④ 孝

(1) 부모님 말씀을 잘 듣는 [   ]子가 되겠습니다. → (   )

(2) 숙제를 끝내자 **安**[   ]이 되었습니다. → (   )

注 意
부을 주 　 뜻 의

🔍 다음 글을 읽고, 오늘 배울 한자를 확인해 보세요.

"우당탕!" 요란한 소리를 내며 방바닥에 벌러덩 넘어졌습니다.
가지고 놀던 게임기를 주의(注意)하지 않아
무심코 밟고 넘어진 것입니다.
큰 소리에 깜짝 놀란 엄마 아빠가 달려오셨습니다.
머리에 혹이 나고, 팔꿈치도 아팠습니다.
그런데 잠시 내 모습을 보시던 엄마 아빠가
뜻[意]밖에도 배를 잡고
"껄껄껄!", "하하하!" 웃으셨습니다.
나도 얼떨결에 "헤헤헤!"
따라 웃었습니다.

오늘 배울 한자

注 意
부을 주 　 뜻 의

부을 주

무언가를 집어넣음을 나타내는 글자로, **붓다**, (물을) **대다**를 뜻해요.

QR을 보며 따라 써요!

注	注	注	注	注	注
부을 주	부을 주	부을 주	부을 주	부을 주	부을 주

1주

뜻 의

마음에서 우러나오는 소리라는 데서 **뜻**이나 **의미, 생각**이라는 뜻을 나타내요.

QR을 보며 따라 써요!

意	意	意	意	意	意
뜻 의	뜻 의	뜻 의	뜻 의	뜻 의	뜻 의

머리에 혹이 더 커졌네? 혹부리 영감이 아니라 혹부리 개구쟁이구나!

아프다고요, 엄마!

오빠는 혹부리 개구쟁이! 히힛!

히힛~

주의(注意)하지 않은 벌이지 뭐니?

으...

평소에 정리 정돈하는 습관을 들여야 해. 우리 이 기회에 정리 정돈 시간을 정해서 함께 실천해 보면 어떨까?

동의(同意)해요.

그거 꼭 해야 해요? 귀찮은데…….

생활 습관은 무엇보다 중요한 거란다. 좋은 습관을 들여야 나중에 정말 하고 싶은 일에도 주력(注力)할 수 있는 거야.

그럼. 처음엔 귀찮고 힘들어도 몸에 익히고 나면 그다음부턴 힘들지 않아.

휴우……. 그럼 엄마 아빠가 그렇게 말씀하시니, 한번 해 보죠 뭐.

저도, 저도 할래요.

호호호~

우리가 의기(意氣)투합하니 안 되는 게 없겠죠?

달이가 하는 거 봐서 소원 하나쯤 들어줄 용의(用意)도 있지!

옛? 그럼 제 컴퓨터 새로 사 주세요!

호호호~

벌써 주문(注文)부터 들어오네요!

하하

하하하~

🔍 '注(부을 주)'와 '意(뜻 의)'가 들어간 한자어를 알아봅시다.

 부을 주

 뜻 의

주의(注意)

| 부을 주 | 뜻 의 |

뜻 마음에 새겨 두고 조심함.

동의(同意)

| 한가지 동 | 뜻 의 |

뜻 같은 뜻

주력(注力)

| 부을 주 | 힘 력 |

뜻 어떤 일에 온 힘을 기울임.

의기(意氣)

| 뜻 의 | 기운 기 |

뜻 기세가 좋은 적극적인 마음

주문(注文)

| 부을 주 | 글월 문 |

뜻 상품을 요구하거나 청구함.

용의(用意)

| 쓸 용 | 뜻 의 |

뜻 어떤 일을 하려고 마음을 먹음.

😺 한자 확인

1 다음 한자의 뜻과 음(소리)에 해당하는 한자를 **보기**에서 찾아 그 번호를 쓰세요.

보기

①心　　　　②意　　　　③注　　　　④孝

(1) 부을 주 → (　　　　　　)

(2) 뜻 의 → (　　　　　　)

🐻 어휘 확인

2 다음 내용이 맞으면 '예', 틀리면 '아니요'에 ◯표 하세요.

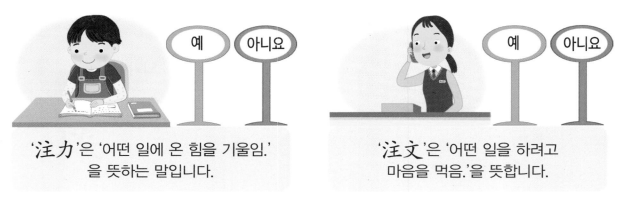

예　아니요

'注力'은 '어떤 일에 온 힘을 기울임.'
을 뜻하는 말입니다.

예　아니요

'注文'은 '어떤 일을 하려고
마음을 먹음.'을 뜻합니다.

🐻 어휘 확인

3 **힌트**를 보고, 다음 빈칸에 들어갈 알맞은 글자를 써넣으세요.

동	
	기

힌트

• 동◯: 같은 뜻

• ◯기: 기세가 좋은 적극적인 마음

기초 집중 연습

급수 유형

4 다음 뜻에 맞는 한자어를 **보기** 에서 찾아 그 번호를 쓰세요.

> **보기**
>
> ① 注意　　　② 同意　　　③ 用意　　　④ 注力

(1) 어떤 일을 하려고 마음을 먹음. ➡ (　　　　　　　)

(2) 마음에 새겨 두고 조심함. ➡ (　　　　　　　)

급수 유형

5 다음 문장에 어울리는 한자어가 되도록 [　] 안에 알맞은 한자를 **보기** 에서 찾아 그 번호를 쓰세요.

> **보기**
>
> ① 孝　　　② 同　　　③ 意　　　④ 注

(1) 떡볶이 2인분을 [　]文하였습니다. ➡ (　　　　　　　)

(2) 친구와 [　]氣투합을 하였습니다. ➡ (　　　　　　　)

급수 유형

6 다음 밑줄 친 한자어의 독음을 쓰세요.

> **보기**
>
> 孝心 ➡ 효심

(1) 이제부터는 공부에 <u>注力</u>할 것입니다. ➡ (　　　　　　　)

(2) 우리 모두 엄마 말씀에 <u>同意</u>하였습니다. ➡ (　　　　　　　)

1 다음 뜻을 나타내는 한자어를 찾아 ◯표 하세요.

勇氣

孝道

씩씩하고 굳센 기운

2 다음 한자의 음(소리)을 보기에서 찾아 그 번호를 쓰세요.

보기
① 신　　② 반　　③ 주

(1) 反 → (　　　　　)

(2) 信 → (　　　　　)

(3) 注 → (　　　　　)

3 다음 한자의 뜻으로 알맞은 것을 찾아 선으로 이으세요.

(1) 氣　•　　　• 살피다/덜다

(2) 省　•　　　• 뜻

(3) 意　•　　　• 기운

4 다음 밑줄 친 한자어를 보기에서 찾아 그 번호를 쓰세요.

보기
① 反省　② 孝心　③ 日氣

(1) 오늘은 일기가 좋지 않습니다.
→ (　　　　　)

(2) 지난 잘못을 반성하였습니다.
→ (　　　　　)

(3) 어머니는 효심이 깊습니다.
→ (　　　　　)

5 다음 한자의 뜻과 음(소리)으로 알맞은 것에 ✔표 하세요.

(1) 不

☐ 아닐 불　　☐ 기운 기

(2) 心

☐ 효도 효　　☐ 마음 심

(3) 勇

☐ 날랠 용　　☐ 뜻 의

6 ◯에 알맞은 글자를 넣어 낱말을 만드세요.

용감하고 사납다는
명성

▶ ◯명

내 생일에는 엄마 아빠께 감사의 편지를 써야지……

효성스러운 마음

▶ 효◯

7 다음 한자어의 음(소리)을 보기 에서 찾아 그 번호를 쓰세요.

보기
① 신용　② 기분　③ 반대

(1) 氣分 ▶ (　　　　)

(2) 信用 ▶ (　　　　)

(3) 反對 ▶ (　　　　)

8 다음 한자의 뜻으로 알맞은 것을 찾아 선으로 이으세요.

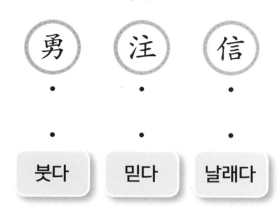

勇　　注　　信

•　　•　　•

•　　•　　•

붓다　　믿다　　날래다

9 다음 한자의 뜻과 음(소리)을 쓰세요.

(1) 意 ▶ (　　　　　　)

(2) 孝 ▶ (　　　　　　)

10 다음 십자말풀이를 보고, 빈칸에 들어갈 알맞은 한자를 보기 에서 찾아 그 번호를 쓰세요.　(　　　　)

보기
① 安　② 心　③ 孝

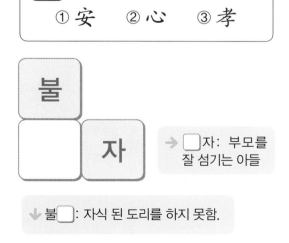

불

자

→ ◯자: 부모를 잘 섬기는 아들

↓ 불◯: 자식 된 도리를 하지 못함.

1주 특강 생각을 키워요 ①

창의·융합·코딩

📖 국어+한문 다음 만화를 읽고, 성어의 뜻을 생각해 보세요.

尾 生 之 信
꼬리 미　　날 생　　갈 지　　믿을 신

옛날, 중국에 미생이라는 사람이 살고 있었습니다.

미생은 남과 약속을 하면 어떤 일이 있어도 지키는 사람이야.

맞아. 우리 마을의 자랑이지!

미생

어느 날, 미생은 사랑하는 여자와 다리 아래에서 만나기로 약속했습니다.

사랑한다고 고백해야지······.

한참 후

이미 약속한 시간이 지났는데 왜 안 오지?

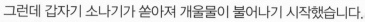

그런데 갑자기 소나기가 쏟아져 개울물이 불어나기 시작했습니다.

이크! 큰일이군. 개울물이 넘치네?

하지만 여기서 만나기로 약속 했으니, 어쩔 수 없지. 약속은 약속이니 말이야.

그래서 미생은 끝까지 다리 기둥을 붙잡고 버텼지만, 그만 물살에 휩쓸려 떠내려가고 말았대.

으아아ㅡ

1주

불상한 미생! 하지만 그렇게까지 하지 않아도 되잖아. 목숨보다 더 중요한 건 없다고!

그러게 말이야~

이게 바로 미생지신의 교훈이지. 너도 조심해. 쓸데없이 고집 부리다 큰코다친다고!

휙

엥?!

◆ 성어의 뜻을 살펴보며 빈칸에 알맞은 한자를 채우세요.

미

尾

생

生

지

之

신

→ '미생(尾生)의 믿음'이란 뜻으로, 융통성이 없이 약속만을 굳게 지킴을 이르는 말

📖 코딩+한문 컴퓨터 비밀번호를 새로 만들려고 합니다. 다음 조건 에 따라 해당하는 글자를 써 비밀번호를 완성해 보세요.

조건

다음의 문제를 풀고, 알맞은 답을 골라 오른쪽 빈칸에 적는다.

① '勇氣'는 '일기'라고 읽습니다.
맞으면 **다**   틀리면 **하**

② '주의(注意)'는 '마음에 새겨 두고 조심함.'을 뜻합니다.
맞으면 **루**   틀리면 **시**

③ '孝'는 '효도'를 뜻합니다.
맞으면 **한**   틀리면 **풀**

④ '信用'은 '신용'이라고 읽습니다.
맞으면 **자**   틀리면 **어**

⑤ '반성(反省)'은 '물음에 대답하지 아니하고 되받아 물음.'을 뜻합니다.
맞으면 **봐**   틀리면 **공**

⑥ '안심(安心)'은 '모든 걱정을 떨쳐 버리고 마음을 편히 가짐.'을 뜻합니다.
맞으면 **부**   틀리면 **요**

문제를 풀고 비밀번호를 만들어 보세요.

| ① 하 | ② ? | ③ ? | ④ 자 | ⑤ ? | ⑥ ? |

설정 완료! 나는 비밀번호를

라고 만들었어!

📖 체육+한문 도움닫기, 뛰어넘기 등의 동작이 필요한 뜀틀 운동에 대해 알아보고, 물음에 답하세요.

뜀틀 운동

뜀틀은 크게 '도움닫기-도약-손 짚기-공중 동작-착지'의 다섯 단계로 나뉩니다. 이때 각 단계에 따라 어색함 없이 매끄럽게 연결되지 않으면 다치거나 위험할 수 있습니다. 따라서 단계별로 끊어서 연습하고, 동작을 하나씩 연결하면서 천천히 시도해 봅니다.

① 도움닫기 – 도약

· 뜀틀로부터 약 7~10m 떨어진 거리에서 도움닫기를 한 후, 두 발로 동시에 발 구름판을 구릅니다.

② 손 짚기 – 공중 동작

· 손 짚을 곳을 바라보면서 손을 뻗어 뜀틀의 약 2/3 지점을 짚으면서 다리를 벌려 뛰어넘습니다. 이때 뜀틀에 다리가 걸리지 않도록 ㉠주의합니다.
· 뛰어넘을 때는 상체를 들고, 시선은 정면을 바라봅니다.

③ 착지

· 안정된 착지를 하려면 무릎을 약간 구부리고, 손은 앞으로 뻗습니다.

※ 뜀틀을 넘는 것에 큰 부담을 느끼면 무리하게 강요하기보다 잘하는 친구들의 동작을 먼저 관찰한 후 ㉡자 ▢ 감이 생기면 시도합니다.

1 ㉠에 해당하는 한자어를 찾아 선으로 이으세요.

 ·

· 反省

· 注意

2 ㉡의 ☐ 에 들어갈 한자의 뜻과 음(소리)으로 알맞은 것을 찾아 ✔표 하세요.

☐ 믿을 신

☐ 마음 심

3 다음 밑줄 친 한자어의 음(소리)을 쓰세요.

뜀틀 운동을 잘하려면 머뭇거리지 말고 **勇氣** 있게 행동해야 해!

답 _____

2주에는 무엇을 공부할까? ①

누가 저 목마를 망가뜨렸어요. 범인을 찾아 주세요!

누군가 목마를 타고 노는 것을 본 사람이 있나요?

나무로 만든 인형 같았어요!

부모님 말씀도 잘 안 듣는 개구쟁이라고 해요!

코가 길어졌다 짧아졌다 해요!

피노키오, 여기 질문지에 체크하세요.

〈거짓말 판독 질문지〉

본 질문지를 읽고, *便安*한 마음으로 해당하는 곳에 ○표 하세요.

· 당신은 자식으로서의 *道理*를 성실히 이행합니까? (예 / 아니요)

· 당신은 코 길이가 *長短*으로 변하는 특징이 없습니까? (예 / 아니요)

· 당신은 놀이터에서 *幸運*의 목마를 탄 적이 없습니까? (예 / 아니요)

· 당신은 모든 질문에 *正直*하게 대답했습니까? (예 / 아니요)

1일 道 길 도 | 理 다스릴 리   **2일** 幸 다행 행 | 運 옮길 운   **3일** 正 바를 정 | 直 곧을 직

4일 便 편할 편/똥오줌 변 | 安 편안 안   **5일** 長 긴 장 | 短 짧을 단

〈거짓말 판독 질문지〉

본 질문지를 읽고, 편안한 마음으로 해당하는 곳에 ○표 하세요.

- 당신은 자식으로서의 도리를 성실히 이행합니까? (예 / 아니요)

- 당신은 코 길이가 장단으로 변하는 특징이 없습니까? (예 / 아니요)

- 당신은 놀이터에서 행운의 목마를 탄 적이 없습니까? (예 / 아니요)

- 당신은 모든 질문에 정직하게 대답했습니까? (예 / 아니요)

질문을 잘 이해할 수가 없어요.

자, 제가 읽어 드리지요. 잘 보세요.

으윽!

당신이 범인이었군요!

휴우, 숨길 수가 없네……

2주 2주에는 무엇을 공부할까? ❷

✱ 이번 주에 배울 한자들이 그림 속에 숨어 있어요. 보기 를 참고해서 한자를 찾아보고, ◯ 에
   해당 한자의 음(소리)을 쓰세요.

道 길 도
直 곧을 직

理 다스릴 리
便 편할 편/
   똥오줌 변

幸 다행 행
安 편안 안

運 옮길 운
長 긴 장

正 바를 정
短 짧을 단

道 理

길 도　　다스릴 리

🔍 다음 글을 읽고, 오늘 배울 한자를 확인해 보세요.

할아버지께 병문안을 다녀왔어요.

병원 가는 길[道]에 할아버지께 조그만 선물도 준비해서 드렸어요.

내가 부른 노래를 엄마가 녹음한 것으로,

부끄러웠지만 할아버지께서 매우 좋아하셔서 기뻤어요.

작은 도리(道理)를 행하였을 뿐인데,

할아버지께서 내 노래를 들으신다고 생각하니

괜히 얼굴이 붉어지는 건 무슨 이(理)유일까요?

오늘 배울 한자

道 理

길 도　　다스릴 리

길 도

사람이 지나다니는 **길**을 뜻해요. 또 사람이 가야 할 올바른 길이라는 의미에서 **도리**나 **이치**를 뜻하기도 해요.

QR을 보며 따라 써요!

道	道	道	道	道	道
길 도	길 도	길 도	길 도	길 도	길 도

다스릴 리

옥에 새겨 넣은 무늬를 나타낸 글자로, **다스리다**, **이치**를 뜻해요.

QR을 보며 따라 써요!

理	理	理	理	理	理
다스릴 리	다스릴 리	다스릴 리	다스릴 리	다스릴 리	다스릴 리

별이야, 오후에 엄마랑 할아버지 계신 도립(道立) 병원에 다녀올까?

좋아요! 그런데 할아버지 뵙기가 좀 부끄러워요.

왜?

지난번 할아버지께 제가 부른 노래를 녹음해서 드렸잖아요? 잘 부른 노래도 아닌데……. 창피해요.

저런! 할아버지께서 얼마나 좋아하셨는데 그러니? 네 덕분에 심리(心理)적인 안정도 찾았다고 그러시던걸?

엄마, 할아버지는 어떤 분이셨어요?

음, 사리(事理)에 밝으셨고, 원리원칙에 철저한 분이셨지. 늘 사람의 도리(道理)를 말씀하시면서 정도(正道)를 걸어야 한다고 하셨거든.

아유, 그럼 공자님 같은 도덕군자셨네요!

후훗! 그렇지만 마음은 얼마나 너그럽고 인자하셨는지 몰라.

도중(道中)에 버려진 꽃 한 송이라도 그냥 지나치지 못하시고 주워와서, 꽃병에 꽂아 놓고는 흐뭇하게 바라보셨지.

그런데 왜 엄마는 할아버지를 하나도 안 닮으셨어요?

내가?

엄마는 내가 조금만 실수해도 인정사정없이 야단치시잖아요!

으이구, 이게…….

그래도 난 엄마가 제일 좋아요. 히히히!

쌩―

🔍 '道(길 도)'와 '理(다스릴 리)'가 들어간 한자어를 알아봅시다.

 길 도

 다스릴 리

도립(道立)

'道'는 지방 행정 구역을 뜻하기도 해요.

	立
길 도	설 립

뜻 공공의 이익을 위하여 도(道)의 예산으로 세우고 관리함.

심리(心理)

心	
마음 심	다스릴 리

뜻 마음의 작용과 의식의 상태

정도(正道)

正	
바를 정	길 도

뜻 올바른 길

사리(事理)

事	
일 사	다스릴 리

뜻 일의 이치

도중(道中)

	中
길 도	가운데 중

뜻 길의 가운데

도리(道理)

道	
길 도	다스릴 리

뜻 마땅히 행하여야 할 바른길

2주

한자 확인

1 그림 속 한자의 뜻과 음(소리)으로 알맞은 것을 찾아 ○표 하세요.

道

| 뜻 의 | 길 도 |

理

| 다스릴 리 | 부을 주 |

어휘 확인

2 다음 밑줄 친 한자의 공통된 뜻을 찾아 선으로 이으세요.

正道   道中 ·

· 길

· 마음

어휘 확인

3 그림 속 내용이 맞으면 '예', 틀리면 '아니요'에 ○표 하세요.

'心理'는 '마음의 작용과 의식의 상태'를 말합니다.

예

아니요

'道理'는 '길의 가운데'를 뜻합니다.

예

아니요

(토끼)**급수 유형**

4 다음 밑줄 친 한자어의 독음을 쓰세요.

보기

注意 → 주의

(1) 동생이 <u>道中</u>에서 황금을 발견했습니다. → (   )

(2) 효도는 자식 된 <u>道理</u>입니다. → (   )

(토끼)**급수 유형**

5 다음 한자의 뜻과 음(소리)을 쓰세요.

보기

意 → 뜻 의

(1) 道 → (   )

(2) 理 → (   )

(토끼)**급수 유형**

6 다음 문장에 어울리는 한자어가 되도록 [   ] 안에 알맞은 한자를 보기 에서 찾아 그 번호를 쓰세요.

보기

① 中   ② 理   ③ 道   ④ 心

● 대의를 먼저 생각하는 것이 <u>正</u>[   ]입니다. → (   )

幸運

다행 행　　옮길 운

🔍 다음 글을 읽고, 오늘 배울 한자를 확인해 보세요.

교내에서 열린 학예회가 끝나갈 즈음, 선생님의 호루라기 소리에 아이들이
삼삼오오 운(運)동장에 모입니다. 웅성거림도 잠시, 모두의 시선이
선생님께로 옮겨집니다[運]. 드디어 기다리던 행운(幸運)권 추첨!
그러나 아쉽게도 내 번호는 뽑히지 않습니다. 속상하지만 청소 당번으로
뽑히지 않은 것만 해도 다행[幸]이라고 스스로 마음을 다독입니다.

오늘 배울 한자

幸運

다행 행　　옮길 운

연하게 쓰인 한자를 따라 써 본 후, 빈칸에 바르게 쓰세요.

다행 행

쇠고랑의 모습을 그린 글자로, 쇠고랑을 면한 데서 **다행**이나 **행복**이라는 뜻을 나타내요.

QR을 보며 따라 써요!

幸	幸	幸	幸	幸	幸
다행 행	다행 행	다행 행	다행 행	다행 행	다행 행

2주

옮길 운

군대가 짐을 꾸려 이동한다는 데서 **옮기다**, 움직이다라는 뜻을 나타내요.

QR을 보며 따라 써요!

運	運	運	運	運	運
옮길 운	옮길 운	옮길 운	옮길 운	옮길 운	옮길 운

2일

마음 한자

幸 다행 행 | 運 옮길 운

자, 조용! 지금부터 행운(幸運)권 추첨을 시작하겠습니다!

으, 떨려. 가슴이 두근두근…….

아, 제발!

잠시 후

휴, 나는 왜 이렇게 운이 없을까?

난 아까까지만 해도 기대에 들떠 행복(幸福)했었는데…….

이 무슨 운명(運命)의 장난이란 말인가!

운명의 장난이라니, 그건 좀 심했다.

얼마나 기대했었는데? 너무 아쉬워서 그러지.

그보다도 말야, 청소 당번에 뽑히지 않은 것만 해도 천행(天幸)이라고 생각해야 해. 이 넓은 운동장(運動場)을 청소하려면 힘깨나 빠질걸?

그래? 그럼 다행(多幸)히도 행운의 여신은 아직 나의 편인가?

좋았어! 우리 떡볶이 먹으러 가자!

아이고…

으악!

턱

꽈당

'幸(다행 행)'과 '運(옮길 운)'이 들어간 한자어를 알아봅시다.

 다행 행

 옮길 운

행복(幸福)

| 다행 행 | 복 복 |

(뜻) 복된 좋은 운수. 생활에서 충분한 만족과 기쁨을 느끼어 흐뭇함.

행운(幸運)

| 다행 행 | 옮길 운 |

(뜻) 좋은 운수

천행(天幸)

| 하늘 천 | 다행 행 |

(뜻) 하늘이 준 큰 행운

운명(運命)

| 옮길 운 | 목숨 명 |

(뜻) 모든 것을 지배하는 초인간적인 힘

다행(多幸)

| 많을 다 | 다행 행 |

(뜻) 뜻밖에 일이 잘되어 운이 좋음.

운동장(運動場)

| 옮길 운 | 움직일 동 | 마당 장 |

(뜻) 체조, 운동 경기, 놀이 등을 할 수 있는 넓은 마당

2주

幸 다행 행 | 運 옮길 운

한자 확인

1 다음 한자의 뜻으로 알맞은 것을 찾아 ✔표 하세요.

(1) 幸 → ☐ 길, 도리   ☐ 다행, 행복

(2) 運 → ☐ 옮기다, 움직이다   ☐ 다스리다, 이치

어휘 확인

2 ◯에 알맞은 글자를 넣어 낱말을 만드세요.

하늘이 준 큰 행운 ▶ 천◯

체조, 운동 경기, 놀이 등을 할 수 있는 넓은 마당 ▶ ◯동장

어휘 확인

3 다음 설명에 해당하는 한자어를 찾아 ◯표 하세요.

설명
> 모든 것을 지배하는 초인간적인 힘

幸運   運命   幸福

기초 집중 연습

급수 유형

4 다음 한자의 뜻과 음(소리)을 쓰세요.

> 보기
>
> 理 → 다스릴 리

(1) 幸 → (   )

(2) 運 → (   )

급수 유형

5 다음 문장에 어울리는 한자어가 되도록 [   ] 안에 알맞은 한자를 보기 에서 찾아 그 번호를 쓰세요.

> 보기
>
> ① 動   ② 幸   ③ 場   ④ 運

(1) 오늘은 나에게 [   ]運이 잇따라 찾아왔습니다. → (   )

(2) 우리들의 [   ]命을 다른 사람에게 맡길 수 없습니다. → (   )

급수 유형

6 다음 뜻에 맞는 한자어를 보기 에서 찾아 그 번호를 쓰세요.

> 보기
>
> ① 幸運   ② 運動場   ③ 運命   ④ 道理

● 좋은 운수 → (   )

正 直

바를 정   곧을 직

🔍 다음 글을 읽고, 오늘 배울 한자를 확인해 보세요.

우리 집 가훈은 '정직(正直)과 성실'입니다.
잘못은 할 수 있어도 거짓말하면 안 되고,
해야 할 일을 미루고 게으름을 피워서도 안 됩니다.
아버지께서 어릴 적 심으셨다는
마당 가 키 큰 나무들도
바르고[正] 곧게[直] 뻗은
손을 흔들며 나를 응원하지요.

오늘 배울 한자

正 直

바를 정   곧을 직

✏️ **연하게 쓰인 한자를 따라 써 본 후, 빈칸에 바르게 쓰세요.**

바를 정

다른 나라로 진격하여 바로잡는다는 데서 **바르다**라는 뜻을 나타내요.

QR을 보며 따라 써요!

正	正	正	正	正	正
바를 정	바를 정	바를 정	바를 정	바를 정	바를 정

곧을 직

열 사람(많은 사람)의 눈이 똑바로 쳐다본다는 데서 **곧다**라는 뜻이 생겼어요.

QR을 보며 따라 써요!

直	直	直	直	直	直
곧을 직	곧을 직	곧을 직	곧을 직	곧을 직	곧을 직

2주

3일

마음 한자

正 바를 정 | 直 곧을 직

한자어를 익혀요

으, 재미없어!

뭐가?

모든 게. 컴퓨터 게임도 시시해졌어.

정직(正直)하게 말해 봐. 매번 지기만 하니까 그러지?

사실은 말이야, 조금만 더 하면 이길 것 같아서, 그래서 어제는 자정(子正)까지 몰래 게임하다가 엄마한테 들켜서 꾸중 들었어. 한 달 간 컴퓨터 금지령이야.

안됐다. 아예 이참에 컴퓨터 게임과는 하직(下直)하는 게 어때? 그 노력을 다른 데 써 봐! 너희 집 가훈도 '정직과 성실'이잖아!

얼마 후

컴퓨터 게임보다 이게 훨씬 더 재미있잖니?

맞아. 이게 내 스타일인가 봐, 하하하!

정오(正午)가 좀 지나 점심 먹은 직후(直後)부터 타는데도 전혀 지루하지 않아. 야호!

야호~

쿡쿡

호호. 아무리 그래도 적당히 타는 게 좋을걸?

다음 날

왜 그러니?

어기적 끄응 어기적

어제 자전거를 너무 많이 탔더니 엉덩이가 빨갛게 부었나 봐. 너무 아파……

호호호. 그렇게 적당히 타랬잖아!

휴, 인생이란 정답(正答)이 없는가 봐!

또르륵

절레 절레

아이고, 뭐 그걸로 인생까지!

🔍 '正(바를 정)'과 '直(곧을 직)'이 들어간 한자어를 알아봅시다.

正 바를 정

直 곧을 직

자정(子正)

子	
아들 자	바를 정

뜻 밤 열두 시

정직(正直)

正	
바를 정	곧을 직

뜻 마음에 거짓이나 꾸밈이 없이 바르고 곧음.

정오(正午)

	午
바를 정	낮 오

뜻 낮 열두 시

하직(下直)

下	
아래 하	곧을 직

뜻 무슨 일이 마지막이거나 그만둠을 이르는 말.
먼 길을 떠날 때 웃어른께 작별을 고하는 것

정답(正答)

	答
바를 정	대답 답

뜻 옳은 답

직후(直後)

	後
곧을 직	뒤 후

뜻 어떤 일이 있고 난 바로 다음

2주

正 바를 정 | 直 곧을 직

기초 실력을 키워요

😺 **한자 확인**

1 다음 한자의 뜻으로 옳은 것에 ○표 하세요.

| 바르다 |
| 날래다 |

| 움직이다 |
| 곧다 |

 어휘 확인

2 다음 한자어의 음(소리)으로 알맞은 것을 찾아 선으로 이으세요.

子正 ·   · 자정

正直 ·   · 정직

😺 **어휘 확인**

3 '낮 12시'를 뜻하는 한자어를 찾아 ∨표 하세요.

□ 子正

□ 正午

급수 유형

4 다음 밑줄 친 한자어의 독음을 쓰세요.

보기

幸運 → 행운

(1) 그것은 <u>正答</u>이 아닙니다. → (   )

(2) 어른들에게 <u>下直</u> 인사를 드렸습니다. → (   )

급수 유형

5 다음 뜻에 맞는 한자어를 보기 에서 찾아 그 번호를 쓰세요.

보기

① 正答   ② 正直   ③ 正午   ④ 子正

(1) 밤 열두 시 → (   )

(2) 마음에 거짓이나 꾸밈이 없이 바르고 곧음. → (   )

급수 유형

6 다음 문장에 어울리는 한자어가 되도록 [   ] 안에 알맞은 한자를 보기 에서 찾아 그 번호를 쓰세요.

보기

① 正   ② 下   ③ 子   ④ 直

(1) 식사 [   ]後에는 가볍게 산책하는 게 좋습니다. → (   )

(2) [   ]午를 알리는 시계 종소리가 울립니다. → (   )

便 安

편할 편/
똥오줌 변　　**편안 안**

🔍 다음 글을 읽고, 오늘 배울 한자를 확인해 보세요.

세상에는 고마운 사람들이 많아요. 내가 집에서
편안한[安] 마음으로 공부를 편하게[便]할 수 있는 것도
많은 사람이 땀 흘려 일한 덕분이지요.
내가 좋아하는 아이스크림을 만든 사람도 참 고마워요.
두 개 세 개 먹다가 배탈이 나면 급하게 화장실로 뛰어가지만,
변(便)을 보고 나올 땐 배가 편안(便安)해져서 배시시 웃음이 나지요.

오늘 배울 한자

便 安

편할 편/　　편안 안
똥오줌 변

✏️ **연하게 쓰인 한자를 따라 써 본 후, 빈칸에 바르게 쓰세요.**

편할 편/똥오줌 변

사람에게 편리하게 바꾼다는 뜻에서 **편하다**를 뜻해요. **똥오줌**이라는 뜻을 가질 때는 '변'으로 읽어요.

QR을 보며 따라 써요!

便	便	便	便	便	便
편할 편/ 똥오줌 변	편할 편/ 똥오줌 변	편할 편/ 똥오줌 변	편할 편/ 똥오줌 변	편할 편/ 똥오줌 변	편할 편/ 똥오줌 변

편안 안

집 안에 여자가 있는 모습을 나타낸 글자로, **편안하다**라는 뜻이에요.

QR을 보며 따라 써요!

安	安	安	安	安	安
편안 안	편안 안	편안 안	편안 안	편안 안	편안 안

2주

안녕하세요?

어서 와라. 별이 오랜만이네?

멍멍~

예. 엄마가 문안(問安) 여쭈었어요.

그래. 어머니께서도 평안(平安)하시니?

예.

달이야, 별이 왔다!

왔어?

엄마, 좀 있다 강아지와 산책할 건데 용변(用便) 봉투 좀 챙겨 주세요.

그래. 강아지가 불안해하지 않게 낯선 길로 가지 말고.

예. 제가 편안(便安)하고 안전(安全)하게 잘 데리고 다닐게요. 안심하세요.

호호. 우리 별이가 하는 말이니 아줌마가 마음 놓인다. 달이는 천방지축이어서 말야…….

별말씀을요. 헤헤헤!

칫!

이렇게 마음씨도 착하니, 앞으로 누가 별이 남편(男便)이 될지 부럽네!

저요?

꽈당

아이구…

'便(편할 편/똥오줌 변)'과 '安(편안 안)'이 들어간 한자어를 알아봅시다.

 편할 편
똥오줌 변

용변(用便)

用	
쓸 용	편할 편/똥오줌 변

🔵 대변이나 소변을 봄.

 편안 안

문안(問安)

問	
물을 문	편안 안

🔵 웃어른께 안부를 여쭘.

편안(便安)

	安
편할 편/똥오줌 변	편안 안

🔵 편하고 걱정 없이 좋음.

평안(平安)

平	
평평할 평	편안 안

🔵 걱정이나 탈이 없음.

남편(男便)

男	
사내 남	편할 편/똥오줌 변

🔵 혼인하여 여자의 짝이 된 남자

안전(安全)

	全
편안 안	온전 전

🔵 위험이 생기거나 사고가 날 염려가 없음.

4일

마음 한자

便 편할 편/똥오줌 변 | 安 편안 안

기초 실력을 키워요

한자 확인

1 '便' 자의 뜻과 음(소리)으로 알맞은 것을 찾아 선으로 이으세요.

편하다 •

똥오줌 •

• 변

• 편

어휘 확인

2 ◯에 알맞은 글자를 넣어 낱말을 만드세요.

대변이나 소변을 봄.

용◯

위험이 생기거나 사고가
날 염려가 없음.

◯전

어휘 확인

3 힌트를 보고, 다음 빈칸에 들어갈 알맞은 글자를 써넣으세요.

힌트
- 남◯ : 혼인하여 여자의 짝이 된 남자
- ◯안: 편하고 걱정 없이 좋음.

急수 유형

4 다음 밑줄 친 한자어의 독음을 쓰세요.

> 보기
>
> 正直 → 정직

(1) 시험을 치르고 나니 마음이 **便安**합니다. → (   )

(2) **用便**이 급하여 화다닥 화장실로 뛰어갑니다. → (   )

急수 유형

5 다음 문장에 어울리는 한자어가 되도록 [   ] 안에 알맞은 한자를 보기 에서 찾아 그 번호를 쓰세요.

> 보기
>
> ① 用   ② 安   ③ 便   ④ 平

(1) 무엇보다도 [   ]全이 우선입니다. → (   )

(2) 내 男[   ]이 될 사람은 지금 어디에 있을지 궁금합니다. → (   )

急수 유형

6 다음 한자의 뜻과 음(소리)을 쓰세요.

> 보기
>
> 直 → 곧을 직

● 安 → (   )

長 短

긴 장   짧을 단

🔍 다음 글을 읽고, 오늘 배울 한자를 확인해 보세요.

음악실

오늘은 음악 시간에 친구들이 앞으로 나와 리코더를 불었어요.
손가락으로 리코더 구멍을 막았다 떼었다 하면서
어떤 소리는 짧게[短], 어떤 소리는 길게[長]
"후- 후우- 후!" 하고 불었어요.
나중에는 우리 모두 함께 장단(長短)에 맞춰
"삑- 삐빅- 삐익!" 합주를 했어요.

오늘 배울 한자

長 短

긴 장   짧을 단

✎ **연하게 쓰인 한자를 따라 써 본 후, 빈칸에 바르게 쓰세요.**

긴 장

머리털이 긴 노인의 모습을 그린 글자로, 길다, 어른이라는 뜻을 나타내요.

QR을 보며 따라 써요!

長	長	長	長	長	長
긴 장	긴 장	긴 장	긴 장	긴 장	긴 장

짧을 단

화살 던지기 놀이에서 유래한 글자로, 짧다, 가깝다를 뜻해요.

QR을 보며 따라 써요!

短	短	短	短	短	短
짧을 단	짧을 단	짧을 단	짧을 단	짧을 단	짧을 단

長 긴 장 | 短 짧을 단

한자어를 익혀요

오늘은 리코더를 배워 보겠어요.

리코더는 단시간(短時間)에 익힐 수 있고, 여러 명이서 같이 합주할 수도 있어요.

손가락으로 리코더 구멍을 모두 막고, 입으로 '후–' 하고 한번 불어 보세요!

삐이 ----

얼마나 불어 댔는지 입술이 퉁퉁 부은 것 같아.

그러게. 장장(長長) 두 시간 동안이나 연습했네.

선생님께서는 쉽게 배울 수 있다고 하셨지만, 난 호흡이 딸려서 장단(長短) 맞추기도 어려워.

아무리 쉬워도 하루아침에 금방 배울 수 있겠니? 다 과정을 거쳐야 하는 거야. 장성(長成)한 어른이 되기 위해 우리가 하루하루 성장(成長)하듯이 말야.

칫! 유식한 체하기는……. 뭐 딴 방법 없을까? 빨리 배워서 엄마 아빠한테 자랑하고 싶은데.

그런데 더 큰 문제가 있어.

문제? 무슨 문제?

너의 결정적인 단점(短點)이 음치라는 거지.

ㅋㅋㅋ

윽…

🔍 '長(긴 장)'과 '短(짧을 단)'이 들어간 한자어를 알아봅시다.

 긴 장   短 짧을 단

장장(長長)

長	
긴 장	긴 장

뜻 예상보다 상당히 많거나 깊.

단시간(短時間)

	時	間
짧을 단	때 시	사이 간

뜻 짧은 시간

장성(長成)

	成
긴 장	이룰 성

뜻 자라서 어른이 됨.

장단(長短)

長	
긴 장	짧을 단

뜻 길고 짧음. 춤, 노래의 빠르기나 가락을 주도하는 박자

성장(成長)

成	
이룰 성	긴 장

뜻 사람이나 동식물 따위가 자라서 점점 커짐.

단점(短點)

	點
짧을 단	점 점

뜻 잘못되고 모자라는 점

1 다음 한자의 뜻과 음(소리)으로 알맞은 것을 찾아 선으로 이으세요.

긴 장   편할 편   편안 안   짧을 단

어휘 확인

2 다음 내용이 맞으면 '예', 틀리면 '아니요'에 ◯표 하세요.

예   아니요

'長長'은 '사람이나 동식물 따위가 자라서 점점 커짐.'을 뜻하는 말입니다.

예   아니요

'長短'은 '길고 짧음.'을 뜻하는 말입니다.

어휘 확인

3 다음 문장에 어울리는 한자어를 찾아 ◯표 하세요.

조그만 아이가 어느덧 (長成 / 長長)하여 일가를 이루었습니다.

급수 유형

4 다음 뜻에 맞는 한자어를 보기 에서 찾아 그 번호를 쓰세요.

보기
① 長長   ② 長成   ③ 長短   ④ 成長

(1) 자라서 어른이 됨. → (   )

(2) 예상보다 상당히 많거나 깊. → (   )

급수 유형

5 다음 밑줄 친 한자어의 독음을 쓰세요.

보기
便安 → 편안

(1) 어느 長短에 춤을 추어야 할지 모르겠습니다. → (   )

(2) 그 일은 短時間에 끝낼 수 없습니다. → (   )

급수 유형

6 다음 문장에 어울리는 한자어가 되도록 [   ] 안에 알맞은 한자를 보기 에서 찾아 그 번호를 쓰세요.

보기
① 長   ② 間   ③ 成   ④ 時

● 그 후 長[   ] 30여 년의 세월이 흘렀습니다. → (   )

1 다음 뜻을 나타내는 한자를 찾아 ∨ 표 하세요.

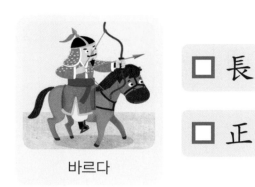

바르다

□ 長

□ 正

2 다음 한자의 알맞은 뜻을 찾아 선으로 이으세요.

(1) 理 •   • 짧다

(2) 便 •   • 편하다

(3) 短 •   • 다스리다

3 다음 뜻과 음(소리)으로 이루어진 한자를 보기 에서 찾아 그 번호를 쓰세요.

보기
① 安   ② 正   ③ 幸

(1) 다행 행 → (   )

(2) 편안 안 → (   )

4 다음 밑줄 친 한자어를 보기 에서 찾아 그 번호를 쓰세요.

보기
① 正直   ② 便安   ③ 道理

(1) 사람은 도리를 지켜야 합니다.
→ (   )

(2) 그는 정직한 학생입니다.
→ (   )

(3) 편안하게 침대에 누웠습니다.
→ (   )

5 ◯에 알맞은 글자를 넣어 낱말을 만드세요.

내 이상형이야!

모든 것을 지배하는 초인간적인 힘

▼

◯ 명

6 다음 한자의 뜻으로 알맞은 것에 ◯ 표 하세요.

運

옮기다

바르다

直

길다

곧다

7 다음 십자말풀이를 보고, 빈칸에 들어갈 알맞은 한자를 보기 에서 찾아 그 번호를 쓰세요. (   )

보기
① 正   ② 長   ③ 道

자 □

□ 직

→ 자□: 밤 열두 시

↓ □직: 마음에 거짓이나 꾸밈이 없이 바르고 곧음.

8 다음 뜻에 해당하는 한자어를 보기 에서 찾아 그 번호를 쓰세요.

보기
① 幸運   ② 短時間   ③ 天幸

(1) 짧은 시간 → (   )

(2) 하늘이 준 큰 행운
　　　　　　　→ (   )

9 다음 한자어의 음(소리)으로 알맞은 것을 찾아 선으로 이으세요.

長短 ·   · 안전

安全 ·   · 장단

10 보기 와 같이 다음 한자의 뜻과 음(소리)을 쓰세요

보기
字 → 글자 자

(1) 長 → (   )

(2) 正 → (   )

📖 국어+한문 다음 만화를 읽고, 성어의 뜻을 생각해 보세요.

言 語 道 斷

말씀 **언** 　 말씀 **어** 　 길 **도** 　 끊을 **단**

◆ 성어의 뜻을 살펴보며 빈칸에 알맞은 한자를 채우세요.

→ '말할 길이 끊어졌다.'는 뜻으로, 너무나 엄청나거나 기가 막혀서 말로써 나타낼 수가 없음을 이르는 말

📖 코딩+한문 학교에서 키우는 화분에 물을 주려고 해요. 규칙 에 따라 화살표와 한자어의 음(소리)을 빈칸에 알맞게 적어 보세요.

규칙

· 화분이 있는 곳까지 갈 수 있는 방법을 순서대로 화살표(→, ←, ↑, ↓)로 나타냅니다.

· 화살표 하나는 한 칸을 의미하고, 장애물이 있는 곳은 갈 수 없습니다.

· 화분에 표시되어 있는 한자어의 음(소리)을 적습니다.

예시

道理

① →	② →	도리

문제 1

幸運

①	②	

📖 도덕+한문 다음 글을 읽고, 물음에 답하세요.

공부란 무엇인가?

공부를 해야 정직하고 올바르게 살아갈 수 있지!

우리는 흔히 공부는 학교 시간표에 적힌 여러 교과목을 배우는 것이고, 공부를 열심히 해야 하는 이유는 좋은 학교에 들어가거나 좋은 직업을 얻어 ㉠편안한 생활을 하기 위해서라고 생각합니다. 그러나 넓은 의미에서 공부는 삶과 관련된 것들을 배우고 익히는 것입니다.

옛 선비들은 사람은 공부를 함으로써 선한 마음을 키우고, ㉡정직하고 올바르게 살아가는 방법을 익힌다고 보았습니다. 공부는 그 자체로 가치 있는 일이자 온전한 사람이 되기 위해서 누구나 마땅히 해야만 하는 것으로 생각했던 것입니다. 따라서 사람다운 사람으로 살기 위해 도덕을 배우는 것을 가장 중요한 공부로 여겼습니다.

나도 공부하고 싶다……

1 ㉠의 뜻으로 알맞은 것을 찾아 ✔표 하세요.

☐ 하늘이 준 큰 행운

☐ 편하고 걱정 없이 좋음.

2 옛사람들이 도덕 공부를 가장 중요하게 생각한 이유를 고르세요. (　　　)

① 좋은 학교에 들어갈 수 있으므로

② 학교 시간표대로 여러 교과목을 배우므로

③ 삶과 관련 없는 일을 배우고 익힐 수 있으므로

④ 좋은 직업을 얻어 편안한 생활을 할 수 있으므로

⑤ 정직하고 올바르게 살아가는 방법을 익힐 수 있으므로

3 ㉡에 해당하는 한자어를 한자로 쓰세요.

正道?
正直?

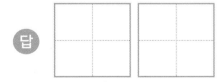
답

3주에는 무엇을 공부할까? ❶

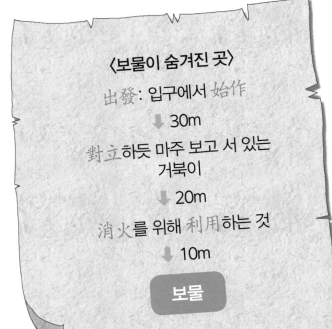

〈보물이 숨겨진 곳〉

출발: 입구에서 시작

↓ 30m

대립하듯 마주 보고 서 있는 거북이

↓ 20m

소화를 위해 이용하는 것

↓ 10m

보물

일단 입구에서 시작하라는 거군.

어? 저기 보이는 바윗돌이 꼭 거북이가 마주 보고 있는 것 같지 않니?

정말 그러네? 그리고 저기 앞에 폭포도 보여!

알았다! 소화를 위해 이용하는 것은 물, 저 폭포야.

멋있다! 굉장해! 보물은 바로 이 경치였구나!

난 금은보화가 가득할 줄 알았는데……

3주

⭐ 해적이 탐정을 뒤쫓아 보물섬에 가기 위해서는 이번 주에 배울 한자가 있는 섬들을 거쳐야 해요. 보기 를 참고하여 ◯에 한자 또는 음(소리)을 써 보고, 순서대로 선으로 이으세요.

보기

始 비로소 시 → 作 지을 작 → 出 날 출 → 發 필 발 → 對 대할 대
→ 立 설 립 → 利 이할 리 → 用 쓸 용 → 消 사라질 소 → 火 불 화

始 作

비로소 시   지을 작

🔍 다음 글을 읽고, 오늘 배울 한자를 확인해 보세요.

오늘은 앞마당 한쪽에 있는 조그만 텃밭에서

아빠를 도와 빼꼼히 열매를 맺기 시작(始作)한 토마토에

물도 주고, 여기저기 돋아난 잡초도 뽑아 주었어요.

일을 마치고 비로소[始] 허리를 펴고 하늘을 보니

파아란 하늘에 구름이 뭉게뭉게 솜사탕을 만들어[作] 놓았네요.

오늘 배울 한자

始 作

비로소 시   지을 작

✏️ **연하게 쓰인 한자를 따라 써 본 후, 빈칸에 바르게 쓰세요.**

비로소 시

어머니의 배 속에 아기가 생기는 일이 시초라는 데서 **비로소**, **처음**이라는 뜻을 나타내요.

QR을 보며 따라 써요!

始	始	始	始	始	始
비로소 시	비로소 시	비로소 시	비로소 시	비로소 시	비로소 시

지을 작

사람이 옷깃에 바느질하는 모습을 그린 글자로, **짓다**, **만들다**를 뜻해요.

QR을 보며 따라 써요!

作	作	作	作	作	作
지을 작	지을 작	지을 작	지을 작	지을 작	지을 작

3주

始 비로소 시 | 作 지을 작   **한자어를 익혀요**

별이가 열심이구나. 일을 시작(始作)한 지 오래되었는데도 힘들지 않아?

아직요. 아빠랑 같이 일하니까 힘든 줄도 모르겠어요.

하하하, 그래. 땅에서 자라는 작물을 가꾸는 착한 농부의 마음을 가지면 네가 바라는 훌륭한 작가(作家)가 되는 것도 이미 반쯤은 이루어 놓은 셈이다.

히힛~

예, 아빠.

잠시 후

어머, 여기 원시인(原始人) 두 사람이 있네? 얼굴이며 옷이 온통 흙투성이잖아요!

???

내가 원시인 같니?

사냥 실력도 동작(動作)도 굼뜨지만 마음만은 더없이 넓고 듬직한 시조(始祖) 할아버지와 그 딸이요.

하하하~

헤헤

그만하고, 빨리 와서 씻고 식사해요!

그럼 엄마 말대로 우선 밥 먹고 와서 좀 더 하자! 일에 시동(始動)을 걸었으니, 마저 끝내자꾸나.

예, 좋아요!

🔍 '始(비로소 시)'와 '作(지을 작)'이 들어간 한자어를 알아봅시다.

 始 비로소 시

作 지을 작

원시인(原始人)

原	始	人
언덕 원	비로소 시	사람 인

뜻 현생 인류 이전의 고대 인류

시작(始作)

始	作
비로소 시	지을 작

뜻 어떤 일이나 행동의 처음 단계를 이루거나 그렇게 하게 함.

시조(始祖)

始	祖
비로소 시	할아비 조

뜻 한 겨레나 가계의 맨 처음이 되는 조상

작가(作家)

作	家
지을 작	집 가

뜻 예술품을 창작하는 사람

시동(始動)

始	動
비로소 시	움직일 동

뜻 처음으로 움직이기 시작함.

동작(動作)

動	作
움직일 동	지을 작

뜻 몸이나 손발 따위를 움직임.

3주

한자 확인

1 다음 한자의 뜻과 음(소리)으로 알맞은 것을 찾아 선으로 이으세요.

始 ·

作 ·

· 짓다 ·

· 비로소 ·

· 작

· 시

어휘 확인

2 다음 □에 들어갈 알맞은 한자에 ○표 하세요.

인류의 시조를 찾아 시간 여행을……

한 겨레나 가계의 맨 처음이 되는 조상을 □조라고 합니다.

始   作

어휘 확인

3 다음 밑줄 친 한자의 공통된 뜻을 찾아 ○표 하세요.

始作   動作

짓다   비로소   길다

급수 유형

4 다음 문장에 어울리는 한자어가 되도록 [ ] 안에 알맞은 한자를 보기 에서 찾아 그 번호를 쓰세요.

> 보기
>
> ① 始 ② 人 ③ 作 ④ 短

(1) 자동차에 [　]動을 걸고 출발합니다. → (　　　　　)

(2) 나는 밤하늘의 별을 헤아리며 [　]家의 꿈을 키웁니다. → (　　　　　)

급수 유형

5 다음 밑줄 친 한자어의 독음을 쓰세요.

> 보기
>
> 長短 → 장단

(1) 마음이 불안하니 **動作**이 자연스럽지 않습니다. → (　　　　　)

(2) 인류의 **始祖**는 정말로 원숭이일까요? → (　　　　　)

급수 유형

6 다음 뜻에 맞는 한자어를 보기 에서 찾아 그 번호를 쓰세요.

> 보기
>
> ① 動作 ② 始作 ③ 始動 ④ 作家

● 어떤 일이나 행동의 처음 단계를 이루거나 그렇게 하게 함. → (　　　　　)

出發
날 출 　 필 발

🔍 다음 글을 읽고, 오늘 배울 한자를 확인해 보세요.

오늘은 가족들과 함께 비행기를 타고 제주도 여행을 갑니다.
배낭에 짐을 꾸리는 엄마의 얼굴에도, 콧노래를 흥얼거리며
이 방 저 방 들고 나는[出] 아빠의 얼굴에도
싱글벙글 웃음꽃이 피었습니다[發].
집을 나서며 내가 외칩니다.
"자, 이제 남쪽 나라 제주도로 출발(出發)!"

오늘 배울 한자

出 發
날 출 　 필 발

날 출

발이 입구 밖으로 나가는 모습을 본뜬 글자로, 나가다를 뜻해요.

QR을 보며 따라 써요!

出	出	出	出	出	出
날 출	날 출	날 출	날 출	날 출	날 출

필 발

도망가는 사람을 향해 화살을 쏘는 모습을 표현한 글자로, 피다, 쏘다를 뜻해요.

QR을 보며 따라 써요!

發	發	發	發	發	發
필 발	필 발	필 발	필 발	필 발	필 발

出 날 출 | 發 필 발

○○동굴

와, 저 바위에서는 빛이 나요!

와아~

스스로 빛을 내는 발광(發光) 물질을 품고 있는 걸까?

어쩌면 바위 속에 보석이 박혀 있어 빛을 내는지도 모르죠.

신기해요!

출입금지

이쪽 길은 출입(出入)할 수 없게 막아 놨어요.

그렇구나. 거긴 위험해서 사고가 발생(發生)할 수 있어 그랬나 보다.

깊은 동굴은 자칫하면 나중에 출구(出口)를 찾지 못할 수도 있어요.

출입금지

오들 오들

우리 이제 그만 나가요. 무서워!

누난 겁쟁이! 잠깐 외출(外出)할 때도 호루라기 가지고 다닌대-요!

이게?

으이구~

히히~

누나 놀리면 못써요. 그리고 달이도 누나처럼 늘 조심하는 게 좋아요.

네… 헤헤~

그럼 우리는 여기서 그만 돌아갈까?

하하하

와아~

예! 모두 출발(出發)!

🔍 '出(날 출)'과 '發(필 발)'이 들어간 한자어를 알아봅시다.

출입(出入)

入	
날 출	들 입

뜻 어느 곳을 드나듦.

발광(發光)

光	
필 발	빛 광

뜻 빛을 냄.

출구(出口)

口	
날 출	입 구

뜻 밖으로 나갈 수 있는 통로

발생(發生)

生	
필 발	날 생

뜻 어떤 일이나 사물이 생겨남.

외출(外出)

外	
바깥 외	날 출

뜻 집이나 근무지 따위에서 벗어나
잠시 밖으로 나감.

출발(出發)

出	
날 출	필 발

뜻 목적지를 향하여 나아감.

2일

出 날 출 | 發 필 발

기초 실력을 키워요

한자 확인

1 다음 그림이 나타내는 한자를 찾아 ◯표 하세요.

나가다

(始 / 出)

피다, 쏘다

(發 / 作)

어휘 확인

2 힌트 를 보고, 다음 빈칸에 들어갈 알맞은 글자를 써넣으세요.

□ 발
입

힌트
- □발: 목적지를 향하여 나아감.
- □입: 어느 곳을 드나듦.

어휘 확인

3 다음의 뜻으로 알맞은 한자어를 찾아 ✔표 하세요.

홍수로 큰 피해가
◯◯하였습니다.

어떤 일이나 사물이 생겨남.

□ 發光   □ 發生

급수 유형

4 다음 한자의 뜻과 음(소리)을 쓰세요.

보기

作 → 지을 작

(1) 出 → (   )

(2) 發 → (   )

급수 유형

5 다음 문장에 어울리는 한자어가 되도록 [   ] 안에 알맞은 한자를 보기 에서 찾아 그 번호를 쓰세요.

보기

① 出   ② 發   ③ 光   ④ 口

(1) 여기는 공사 중이라 [   ]入할 수 없습니다. → (   )

(2) 어머니는 할머니와 함께 出[   ]하셨습니다. → (   )

급수 유형

6 다음 뜻에 맞는 한자어를 보기 에서 찾아 그 번호를 쓰세요.

보기

① 出發   ② 外出   ③ 出入   ④ 出口

● 밖으로 나갈 수 있는 통로 → (   )

3주

對 立
대할 대   설 립

🔍 다음 글을 읽고, 오늘 배울 한자를 확인해 보세요.

우리나라는 남쪽과 북쪽으로 나뉘어 살아가고 있어요.

같은 민족인데도 서로 대립(對立)하고 있지요.

요즘은 다른 나라 사람들도 많이

우리나라에 들어와 우리와 함께

살고 있는 지구촌 세상이 되었잖아요?

이젠 더 늦기 전에 남과 북이 서로

마주하여[對] 손잡고

세계에 우뚝 선[立] 자랑스러운

대한민국이 되었으면 좋겠어요.

오늘 배울 한자

對 立
대할 대   설 립

대할 대

누군가를 마주하기 위해 불을 밝힌 모습을 나타낸 글자로, **대하다, 마주하다**를 뜻해요.

QR을 보며 따라 써요!

對	對	對	對	對	對
대할 대	대할 대	대할 대	대할 대	대할 대	대할 대

설 립

사람이 땅 위에 서 있는 모습을 나타낸 글자로, **서다**라는 뜻이에요.

QR을 보며 따라 써요!

立	立	立	立	立	立
설 립	설 립	설 립	설 립	설 립	설 립

3주

'對(대할 대)'와 '立(설 립)'이 들어간 한자어를 알아봅시다.

 대할 대

 설 립

대답(對答)

	答
대할 대	대답 답

뜻 부르는 말에 응하여 어떤 말을 함.

입장(立場)

'立'은 낱말의 맨 앞에 올 때는 '입'으로 읽어요

	場
설 립	마당 장

뜻 당면하고 있는 상황

상대(相對)

相	
서로 상	대할 대

뜻 서로 마주 대함.

중립(中立)

中	
가운데 중	설 립

뜻 어느 편에도 치우치지 않고 중간적인 입장에 섬.

대화(對話)

	話
대할 대	말씀 화

뜻 마주 대하여 이야기를 주고받음.

대립(對立)

對	
대할 대	설 립

뜻 서로 반대되거나 모순됨.

對 대할 대 | 立 설 립

😊 한자 확인

1 다음 그림과 관련된 한자를 찾아 선으로 이으세요.

대하다, 마주하다

서다

·

·

·

·

立

對

😊 어휘 확인

2 다음 한자어의 음(소리)으로 알맞은 것에 ⭕표 하세요.

 → 대답 　대화

 → 입장 　중립

😊 어휘 확인

3 다음 한자어의 뜻에 해당하는 것을 찾아 ✔표 하세요.

이 창은 뚫지 못할 방패가 없고, 이 방패는 막지 못할 창이 없습니다.

對立

☐ 　서로 반대되거나 모순됨.

☐ 　서로 마주 대함.

기초 집중 연습

급수 유형

4 다음 밑줄 친 한자어의 독음을 쓰세요.

> 보기
>
> 出發 → 출발

(1) 선생님의 질문에 씩씩하게 **對答**합니다. → (   )

(2) 나와 동생 사이에서 어머니는 **中立**을 선언하셨습니다. → (   )

급수 유형

5 다음 뜻에 맞는 한자어를 보기 에서 찾아 그 번호를 쓰세요.

> 보기
>
> ① 中立   ② 立場   ③ 對話   ④ 對答

(1) 마주 대하여 이야기를 주고받음. → (   )

(2) 당면하고 있는 상황 → (   )

급수 유형

6 다음 한자의 뜻과 음(소리)을 쓰세요.

> 보기
>
> 出 → 날 출

(1) 對 → (   )

(2) 立 → (   )

利 用

이할 리　　쓸 용

🔍 다음 글을 읽고, 오늘 배울 한자를 확인해 보세요.

사람들이 가볍게 쓰고[用] 버리는 생활 쓰레기를 줄이기 위해
우리는 어떤 노력을 기울여야 할까요?
잘못하면 지구 전체가 사람들이 버린 쓰레기에 뒤덮이고,
우리도 그 쓰레기 속에서 살아야 할지도 모르잖아요.
사람도 건강하고 지구에도 이롭게[利] 생활 쓰레기를 줄이고,
자원을 효율적으로 이용(利用)해야겠어요.

오늘 배울 한자

利 用
이할 리　　쓸 용

이할 리

곡식을 만드는 밭을 가는 날카로운 쟁기를 나타낸 글자로, **이롭다**를 뜻해요.

QR을 보며 따라 써요!

利	利	利	利	利	利
이할 리	이할 리	이할 리	이할 리	이할 리	이할 리

쓸 용

나무로 만든 통을 그린 글자로, **쓰다**를 뜻해요.

QR을 보며 따라 써요!

用	用	用	用	用	用
쓸 용	쓸 용	쓸 용	쓸 용	쓸 용	쓸 용

3주

4일 행동 한자

利 이할 리 | 用 쓸 용

한자어를 익혀요

평소에는 잘 보이지 않던 쓰레기들이 이렇게나 많다니, 으으…….

으으~

이런 건 다시 활용(活用)할 수 있는데 그냥 버렸네?

그냥 버려진 일회용품도 너무 많아. 일회용품이 편리(便利)하긴 하지만 환경도 생각해야지, 참!

어어쭉! 네가 그런 생각을?

헤헤~

왜, 난 뭐 말썽만 부리는 줄 알아서?

잠시 후

오늘 환경 보호 활동을 마치겠어요. 수고했어요.

예!

쓰레기를 주우면서 환경이란 말이 어떤 의미를 지닌 용어(用語)인지 잘 알았으리라 생각해요.

다음 달에는 폐품을 이용(利用)하여 여러 가지 장난감을 만들어 보는 활동을 할 거예요.

예!

쓰레기 때문에 자연이 파괴되면 우리 인간한테도 결코 유리(有利)하지 않아!

맞아. 자연은 한번 파괴되면 걷잡을 수 없는 재앙을 불러온댔어.

이자(利子)에 이자가 붙는 것처럼?

어쭈쭈! 너 오늘 괜찮은데?

어흠~ 어흠~

꽈당

으악!

아이고, 제발!

🔍 '利(이할 리)'와 '用(쓸 용)'이 들어간 한자어를 알아봅시다.

　　이할 리

　　쓸 용

편리(便利)

便	
편할 편/똥오줌 변	이할 리

뜻 편하고 이로우며 이용하기 쉬움.

활용(活用)

活	
살 활	쓸 용

뜻 충분히 잘 이용함.

유리(有利)

有	
있을 유	이할 리

뜻 이익이 있음.

용어(用語)

	語
쓸 용	말씀 어

뜻 일정한 분야에서 주로 사용하는 말

이자(利子)

	子
이할 리	아들 자

'利'는 낱말의 맨 앞에 올 때 '이'라고 읽어요.

뜻 남에게 돈을 빌려 쓴 대가로 치르는 일정한 비율의 돈

이용(利用)

利	
이할 리	쓸 용

뜻 대상을 필요에 따라 이롭게 씀.

利 이할 리 │ 用 쓸 용

한자 확인

1 다음 한자의 뜻과 음(소리)을 찾아 ○표 하세요.

(1) 利 → | 편하다 | 리 | 이롭다 |

(2) 用 → | 용 | 편 | 쓰다 |

어휘 확인

2 ◯에 알맞은 글자를 넣어 낱말을 만드세요.

편하고 이로우며
이용하기 쉬움.

편◯

일정한 분야에서 주로
사용하는 말

◯어

어휘 확인

3 다음 문장의 ▢에 어울리는 한자어를 보기 에서 찾아 그 번호를 쓰세요.

보기

① 利用   ② 活用   ③ 有利   ④ 便利

● 이번 농구 시합은 키 큰 아이들이 많은 우리 반이 ▢▢합니다.

→ (   )

기초 집중 **연습**

🐰 급수 유형

4 다음 밑줄 친 한자어의 독음을 쓰세요.

> 보기
>
> 對立 ➡ 대립

(1) 은행에 돈을 저금하니 **利子**가 붙었습니다. ➡ (   )

(2) 적절한 **用語**를 사용하여 발표합니다. ➡ (   )

🐰 급수 유형

5 다음 문장에 어울리는 한자어가 되도록 [   ] 안에 알맞은 한자를 보기 에서 찾아 그 번호를 쓰세요.

> 보기
>
> ① 利   ② 子   ③ 用   ④ 立

(1) 자동문이 있으니 便[   ]합니다. ➡ (   )

(2) 한자 카드를 活[   ]하여 공부하니 재미있습니다. ➡ (   )

🐰 급수 유형

6 다음 뜻에 맞는 한자어를 보기 에서 찾아 그 번호를 쓰세요.

> 보기
>
> ① 有利   ② 便利   ③ 利子   ④ 利用

● 대상을 필요에 따라 이롭게 씀. ➡ (   )

消 火
사라질 소　　불 화

🔍 다음 글을 읽고, 오늘 배울 한자를 확인해 보세요.

스카우트 대회 마지막 밤을 맞아 캠핑장에서 캠프파이어를 합니다.
나뭇가지 사이로 불[火]꽃이 활활 타오르자 내 가슴도 따라서
벅차올랐습니다. 캠프파이어가 끝나면 선생님께서 소화(消火)기로
안전하게 남은 불[火]씨를 끄시겠지만, 내 마음속에 담긴 불[火]꽃은
사라지지[消] 않고 밤하늘의 별처럼 언제나 반짝일 것입니다.

오늘 배울 한자

消 火
사라질 소　불 화

사라질 소

물이 작게 부서져 수증기로 변하여 사라진다는 데서 **사라지다, 없애다**라는 뜻을 나타내요.

QR을 보며 따라 써요!

消	消	消	消	消	消
사라질 소	사라질 소	사라질 소	사라질 소	사라질 소	사라질 소

불 화

불길이 솟아오르는 모습을 본뜬 글자로, **불**을 뜻해요.

QR을 보며 따라 써요!

火	火	火	火	火	火
불 화	불 화	불 화	불 화	불 화	불 화

3주

캠프파이어 불꽃이 꼭 화산(火山)이 폭발하는 것처럼 보이지 않니?

응. 멀리 떨어져 있는데도 화력(火力)이 세서 얼굴이 다 화끈거려.

너 아니? 불꽃이 바람을 받으면 멀리까지 날아가서 큰불을 만든대.

그래? 이거 조심해야겠군.

자나 깨나 불조심이지!

불은 잘 껐겠지?

불씨가 남아 다시 발화(發火)하는 일이 없도록 선생님께서 소화(消火)기로 껐으니 괜찮을 거야.

인류의 발명 중 가장 위대한 게 뭔지 알아?

소화기!

아이고 이런 맹추, 그 반대야!

왜? 불이 얼마나 무서운데 그래?

불은 말이야, 사람이 짐승과 다른 생활을 할 수 있게 해 준 보물이야.

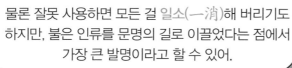

물론 잘못 사용하면 모든 걸 일소(一消)해 버리기도 하지만, 불은 인류를 문명의 길로 이끌었다는 점에서 가장 큰 발명이라고 할 수 있어.

칫, 잘난 척은……

맨날 놀이터에서 소일(消日)하지만 말고 공부 좀 해라, 응?

폭죽이다! 와, 멋있다! 인류의 가장 큰 발명은 불이 아니라 폭죽인 거 같아. 그렇지 않니?

펑!

펑!

아이고 참, 능청스럽기는……!

🔍 '消(사라질 소)'와 '火(불 화)'가 들어간 한자어를 알아봅시다.

 사라질 소

火 불 화

소화(消火)

| 사라질 소 | 불 화 |

뜻 불을 끔.

일소(一消)

| 한 일 | 사라질 소 |

뜻 모조리 지워짐.

소일(消日)

| 사라질 소 | 날 일 |

뜻 하는 일 없이 세월을 보냄.

화산(火山)

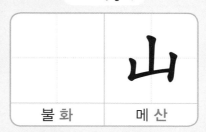

| 불 화 | 메 산 |

뜻 땅속에 있는 가스, 마그마 따위가 지표로 분출하여 이루어진 산

화력(火力)

| 불 화 | 힘 력 |

뜻 불이 탈 때에 내는 열의 힘

발화(發火)

| 필 발 | 불 화 |

뜻 불이 일어나거나 타기 시작함.

5일

행동 한자

消 사라질 소 | 火 불 화

기초 실력을 키워요

 한자 확인

1 다음 한자의 뜻과 음(소리)으로 알맞은 것을 찾아 선으로 이으세요.

消 ·

火 ·

· 사라질 소

· 불 화

 어휘 확인

2 다음 내용이 맞으면 '예', 틀리면 '아니요'에 ○표 하세요.

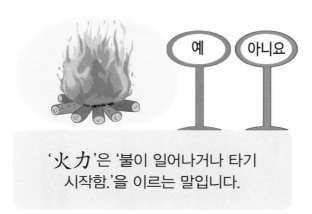

예   아니요

'火力'은 '불이 일어나거나 타기 시작함.'을 이르는 말입니다.

예   아니요

'火山'은 '땅속에 있는 가스, 마그마 따위가 지표로 분출하여 이루어진 산'을 말합니다.

어휘 확인

3 다음 문장에 어울리는 한자어를 찾아 ○표 하세요.

우리 사회의 부정부패를 (一消 / 消日)해야 합니다.

기초 집중 연습

🐰 급수 유형

4 다음 뜻에 맞는 한자어를 보기 에서 찾아 그 번호를 쓰세요.

보기

① 火力   ② 一消   ③ 消日   ④ 消火

(1) 하는 일 없이 세월을 보냄. → (   )

(2) 불이 탈 때에 내는 열의 힘 → (   )

🐰 급수 유형

5 다음 밑줄 친 한자어의 독음을 쓰세요.

보기

利用 → 이용

(1) 소방관들이 불이 난 發火 지점을 찾았습니다. → (   )

(2) 학교에 消火 설비를 갖추었습니다. → (   )

🐰 급수 유형

6 다음 밑줄 친 한자어를 한자로 쓰세요.

● 저 멀리 산꼭대기에서 연기가 피어오르고 있는 화산이 보입니다.

→ (   )

3주

1 다음 한자의 알맞은 뜻을 찾아 선으로 이으세요.

始 發 消

•　　　•　　　•

•　　　•　　　•

피다　　사라지다　　비로소

2 그림에 알맞은 한자를 찾아 ∨표 하세요.

□ 作
□ 出

짓다

□ 用
□ 立

서다

3 다음 밑줄 친 한자어의 독음을 쓰세요.

● 차창 밖으로 저 멀리 <u>火山</u>이 보입니다. → (　　　　　　)

4 다음과 같은 뜻을 가진 한자어를 찾아 ○표 하세요.

부르는 말에 응하여 어떤 말을 함.

對答　　　　對立

5 다음 한자의 음(소리)을 보기 에서 찾아 그 번호를 쓰세요.

> 보기
> ① 대　② 용　③ 출

(1) 出 → (　　　　　　)

(2) 對 → (　　　　　　)

(3) 用 → (　　　　　　)

6 다음 십자말풀이를 보고, 빈칸에 들어갈 알맞은 한자를 보기 에서 찾아 그 번호를 쓰세요.   (   )

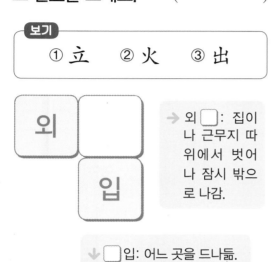

보기
① 立   ② 火   ③ 出

→ 외 ☐ : 집이나 근무지 따위에서 벗어나 잠시 밖으로 나감.

↓ ☐ 입: 어느 곳을 드나듦.

7 다음 한자의 뜻과 음(소리)이 올바른 것에 ∨ 표 하세요.

對
사라질 대

出
날 출

8 다음 한자어의 음(소리)으로 알맞은 것을 찾아 선으로 이으세요.

始作 ·   · 이용

利用 ·   · 시작

9 다음 뜻에 맞는 한자어를 보기 에서 찾아 그 번호를 쓰세요.

보기
① 中立 ② 發生 ③ 動作

(1) 몸이나 손발 따위를 움직임.
→ (   )

(2) 어느 편에도 치우치지 않고 중간적인 입장에 섬.
→ (   )

10 다음 뜻과 음(소리)에 맞는 한자를 보기 에서 찾아 그 번호를 쓰세요.

보기
① 火   ② 利   ③ 發

(1) 불 화 → (   )

(2) 이할 리 → (   )

3주

📖 국어+한문 다음 만화를 읽고, 성어의 뜻을 생각해 보세요.

甘 言 利 說

달 **감**　　말씀 **언**　　이할 **리**　　말씀 **설**

◆ 성어의 뜻을 살펴보며 빈칸에 알맞은 한자를 채우세요.

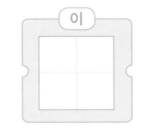

감	언	이	설
甘	言		說

→ '달콤한 말과 이로운 이야기'라는 뜻으로, 남의 비위에 맞도록 꾸민 달콤한 말과 이로운 조건을 내세워 남을 꾐을 이르는 말

📖 **코딩+한문** 오늘은 부모님과 함께 김밥을 만들려고 해요. 어떤 재료와 순서로 김밥을 만들 수 있을지 생각해 보면서 나만의 김밥을 만들어 보세요.

1 김밥 재료를 생각하면서 밑줄 친 음(소리)에 맞는 한자어를 **보기** 에서 찾아 ○표 하세요.

오늘 출발하면 늦어도 모래는 도착할 수 있습니다.

은행에 저축을 하기 시작했습니다.

버스를 이용하여 할머니 댁에 다녀왔습니다.

대립하고 있으면 서로 손해입니다.

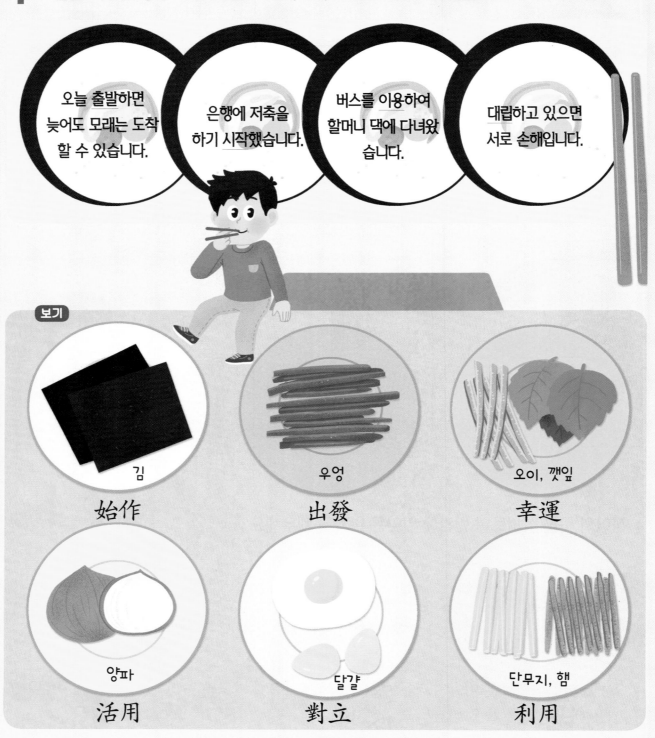

보기

김	우엉	오이, 깻잎
始作	出發	幸運

양파	달걀	단무지, 햄
活用	對立	利用

2 김밥 만드는 순서를 생각하면서 밑줄 친 한자어의 음(소리)으로 알맞은 것을 보기 에서 찾아 그 번호를 쓰세요.

시작 ➡ 학교에 **消火** 설비를 갖추었습니다.
(   )

➡ 내 의견에 **反對**하는 사람은 없습니다.
(   )

마음이 불안하여 **動作**이 자연스럽지 않습니다.
(   )

➡ 자동문이 있으니 **便利**합니다.
(   )

➡ 완성!

김밥 만드는 순서

보기

① 동작

② 소화

③ 편리

④ 반대

3주 특강 생각을 키워요 3

📖 사회+한문 우리 땅 독도를 탐방하기 위해 인터넷에서 자료를 찾아보았습니다. 다음 글을 읽고, 물음에 답하세요.

독도 탐방

■ **장소**: 울릉도, 독도 일원
■ **주요 일정**
  - ○월 ○일(토) 13시: 서울 동서울터미널(강변역) ㉠出發
            19시: 포항 여객선 터미널 울릉도 행(22시 도동 도착)
  - ○월 ○일(일): 독도박물관 견학과 울릉도 역사 현장 답사(일본군 망루 터, 진지 터, 이규원 검찰사 유적, 고분군, 나리 분지, 수력발전소 등)
■ **신청**: 이메일 또는 팩스를 ㉡利用하여 전송
■ **준비물**
  - 개인 여행 용품, 바람막이용 점퍼
■ **기타**
  - 기상 및 선박 운항 일정에 따라 취소 또는 일정이 변경될 수 있습니다.
  - 울릉도-독도 탐방 행사는 관광이 아닌 교육 프로그램으로, 울릉도와 독도의 역사 현장을 답사하며 강의와 현장 교육이 포함된 독도 문제의 현실과 우리의 역할을 배우는 행사입니다.
  - 울릉도 일주 시 도보 코스가 포함됩니다.

1 ㉠과 ㉡에 해당하는 한자어의 음(소리)을 찾아 선으로 이으세요.

㉠ •

㉡ •

• 이용

• 출발

2 다음 글을 읽고, 독도 탐방 행사와 관련이 <u>없는</u> 것을 고르세요. (　　　　)

독도 탐방은 독도의 역사를 배우는 행사입니다. 독도 탐방은 관광이 아닌 교육을 목적으로 하고 있으며, 이동 중 사전 강의와 현장 강의를 통해 울릉도와 독도의 역사를 배우게 됩니다.

독도에는 약 7시간 체류하며, 독도의 살아있는 역사의 현장을 살펴보게 됩니다. 동도 자갈마당의 독도 영토 표석, 어민 위령비, 순직 경찰관 위령비, 영해 기점 표식, 그리고 1950년대 독도의용수비대와 울릉경찰서 독도경비대의 활동상을 배우게 됩니다.

① 독도 관광　　　　　　　② 독도 역사 교육
③ 이동 중 사전 강의　　　　④ 독도경비대의 활동상
⑤ 독도의 역사 현장 방문

3 다음 밑줄 친 음(소리)에 해당하는 한자어를 쓰세요.

독도 영유권을 놓고
일본과 대립하고
있지만, 독도는 틀림없는
우리 땅이라는 사실!

답

4주에는
무엇을 공부할까? ①

아니, 놀부님 아니세요?

아이고, 나 놀부 좀 살려 주세요!

박 속에서 도깨비가 튀어나와 온통 난장판을 만들었어요.

여기 이거, 도깨비가 대문에 써 붙여 놓은 쪽지예요. 도통 무슨 말인지 모르겠어요.

〈놀부에게〉

눈앞에 닥친 大재앙을 물리치는 방법

1. 第一 먼저 흥부한테 가서 잘못을 뉘우칠 것

2. 남의 成功을 시기하지 말 것

3. 인격을 수양하고, 술과 퇴폐적인 音樂을 멀리할 것

4. 내가 간 後에 전 재산의 半을 마을 사람들한테 나눠 줄 것

– 도깨비 씀 –

〈놀부에게〉

눈앞에 닥친 대재앙을 물리치는 방법

1. 제일 먼저 흥부한테 가서 잘못을 뉘우칠 것

2. 남의 성공을 시기하지 말 것

3. 인격을 수양하고, 술과 퇴폐적인 음악을 멀리할 것

4. 내가 간 후에 전 재산의 반을 마을 사람들 한테 나눠 줄 것

– 도깨비 씀 –

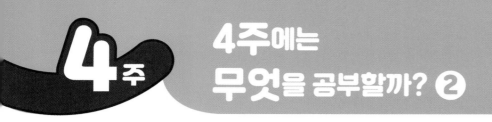

⭐ 도깨비가 놀부를 찾고 있어요. 보기 를 참고하여 그림 속에서 이번 주에 배울 한자의 뜻과 음(소리)이 바르게 표시된 길을 따라가 놀부를 찾아보세요.

보기

後 뒤 후   半 반 반   成 이룰 성   功 공 공   大 큰 대   戰 싸움 전
第 차례 제   一 한 일   音 소리 음   樂 즐길 락/노래 악/좋아할 요

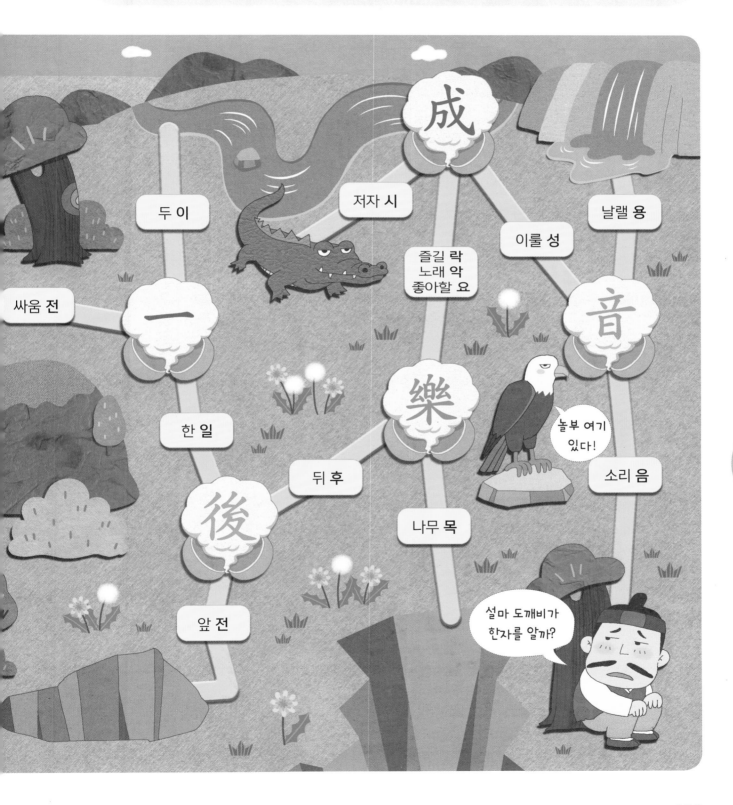

後 半

뒤 후　　　반 반

🔍 다음 글을 읽고, 오늘 배울 한자를 확인해 보세요.

옆 반 아이들과 축구 시합을 합니다.

내가 공을 잡아 길게 상대편 뒤[後]로 차 보냅니다.

그러나 우리 편이 잡기도 전에 상대편 수비수가 공을 가로채

다시 우리 쪽으로 반[半] 넘어 몰고 옵니다.

우리 선수들은 이리저리 몰려다니며 공을 쫓기 바쁩니다.

이러다 후반(後半)전이 시작되기도 전에

다들 지쳐 쓰러질까 걱정입니다.

오늘 배울 한자

後 半

뒤 후　　　반 반

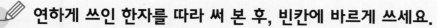
✏️ **연하게 쓰인 한자를 따라 써 본 후, 빈칸에 바르게 쓰세요.**

뒤 후

길을 갈 때 걸음이 더뎌 뒤처짐을 나타내는 글자로, 뒤를 뜻해요.

QR을 보며 따라 써요!

後	後	後	後	後	後
뒤 후	뒤 후	뒤 후	뒤 후	뒤 후	뒤 후

반 반

소를 반으로 가른 모습을 그린 글자로, 반, 가운데를 뜻해요.

QR을 보며 따라 써요!

半	半	半	半	半	半
반 반	반 반	반 반	반 반	반 반	반 반

後 뒤 후 | 半 반 반

한자어를 익혀요

어깨가 축 처졌네?
오후(午後)에 축구 시합한다
더니 졌구나?

예, 말도 마세요. 후반(後半)전에
완전히 망쳤어요.

어쩌다가?

전반에는 그런대로 공을
쫓아다니며 버텼는데, 너무 뛰어다니
다 보니까 나중에는 지쳐서 발이 땅에
붙은 것처럼 떨어지지 않지 뭐예요?

아이고, 내 다리야!
앞으로 반년(半年) 동안은
축구 못할 거 같아요.

폴작

호호호, 그래.
그런데 반년은 뭐니?

학년 마치려면 반년 남았잖아요?
옆 반 아이들과는 다시 축구 못하겠어요.
어찌나 잘하는지…….
짜식들, 뽐내는 거 보기 싫어서
후문(後門)으로 나왔어요.

칫!

쯧쯧쯧……. 그럼 못써요.
졌으면 흔쾌히 승복할 줄도
알아야지.

뭐 그렇다고 패배를 인정하지 않는 건 아녜요.
너무 부끄러워서 그런 거죠.
그런데 엄마, 점심 때 후식(後食)으로 먹었던
케이크 더 없어요? 배고픈데…….

다리는 천근만근이라도
상반신(上半身)만은
멀쩡하다는 얘기네?
배도 고프고.

으이구… 기죽어~

아이, 엄마!

🔍 '後(뒤 후)'와 '半(반 반)'이 들어간 한자어를 알아봅시다.

오후(午後)

午	
낮 오	뒤 후

뜻 낮 열두 시부터 밤 열두 시까지의 시간

후반(後半)

後	
뒤 후	반 반

뜻 전체를 반씩 둘로 나눈 것의 뒤쪽 반

후문(後門)

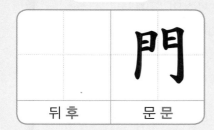

	門
뒤 후	문 문

뜻 뒤나 옆으로 난 문

반년(半年)

	年
반 반	해 년

뜻 한 해의 반

후식(後食)

	食
뒤 후	밥/먹을 식

뜻 나중에 먹음. 또는 식사 뒤에 먹는 간단한 음식

상반신(上半身)

上		身
윗 상	반 반	몸 신

뜻 사람의 몸에서 허리 위의 부분

4주

1일

기타 한자

後 뒤 후 | 半 반 반

😊 한자 확인

1 다음 한자의 뜻으로 알맞은 것을 찾아 선으로 이으세요.

後 ·

半 ·

· 반, 가운데

· 뒤

🐻 어휘 확인

2 그림 속 내용이 맞으면 '예', 틀리면 '아니요'에 ◯표 하세요.

'午後'는 '낮 열두 시부터 밤 열두 시까지의 시간'을 말합니다.

예

아니요

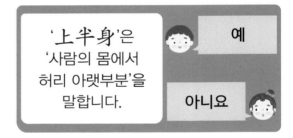

'上半身'은 '사람의 몸에서 허리 아랫부분'을 말합니다.

예

아니요

🐻 어휘 확인

3 다음 문장의 ☐에 어울리는 한자어를 찾아 ✔표 하세요.

친구가 ☐☐에서 기다립니다.

☐ 後半   ☐ 後門

급수 유형

4 다음 밑줄 친 한자어의 독음을 쓰세요.

> 보기
>
> 消火 → 소화

(1) 오늘은 바나나를 後食으로 먹었습니다. → (   )

(2) 올해도 벌써 半年이 지났습니다. → (   )

급수 유형

5 다음 한자의 뜻과 음(소리)을 쓰세요.

> 보기
>
> 火 → 불 화

(1) 後 → (   )

(2) 半 → (   )

급수 유형

6 다음 뜻에 맞는 한자어를 보기 에서 찾아 그 번호를 쓰세요.

> 보기
>
> ① 後半   ② 後食   ③ 後門   ④ 午後

(1) 뒤나 옆으로 난 문 → (   )

(2) 전체를 반씩 둘로 나눈 것의 뒤쪽 반 → (   )

成 功

이룰 성 　 공 공

🔍 다음 글을 읽고, 오늘 배울 한자를 확인해 보세요.

할아버지는 어릴 때 세웠던 뜻을 굽히지 않고
열심히 공부하여 일가를 이루셨습니다[成].
오랫동안 노력한 공(功)로를 인정받아
국가에서 주는 훈장도 받으셨습니다.
지금은 주로 병원에서 연약한 모습으로
누워 계시지만, 나는 성공(成功)한 사람의
참모습을 할아버지에게서 봅니다.

오늘 배울 한자

成 功

이룰 성 　 공 공

이룰 성

도구를 써서 사물을 만든다는 데서 **이루다**, 완성하다라는 뜻을 나타내요.

QR을 보며 따라 써요!

成	成	成	成	成	成
이룰 성	이룰 성	이룰 성	이룰 성	이룰 성	이룰 성

공 공

땅을 다지는 도구를 들고 힘을 쓰는 모습을 나타낸 글자로, **공로**나 업적을 뜻해요.

QR을 보며 따라 써요!

功	功	功	功	功	功
공 공	공 공	공 공	공 공	공 공	공 공

4주

할아버지께서 이번에 훈장을 받으셨다며?

응. 자랑스러워! 공명(功名)을 바라지 않고 오직 한길만 걸으셨는데, 그것을 나라로부터 인정받았다는 것이 기뻐. 성인(成人)으로 커 가는 우리에게 본이 되는 삶의 모습을 보여 주셨다고 생각해.

나도 네 할아버지처럼 성공(成功)한 사람이 되겠어!

어떻게?

기다려 봐!

쌩—

잠시 후

뭐 하는데?

핸들을 잡지 않고 자전거 타기!

흔들

흔들

우선 손을 쓰지 않고 자전거 타는 법을 연습해서 성년(成年)이 되면 우리나라에서 제일가는 자전거 타기의 명인이 되겠어!

으악!

쿡쿡

과당

너무 웃지 마. 이것도 다 공력(功力)을 쌓아 가는 거라고!

솔직히 말해서 온몸에 시퍼렇게 생성(生成)된 멍 자국만 남긴다면, 우리나라에 하나밖에 없는 명인이고 뭐고 간에 몸을 학대한 죄가 더 크겠다!

아, 그러면 이건 아닌가?

벌써 깨달으셨어? 으이구, 참……

🔍 '成(이룰 성)'과 '功(공 공)'이 들어간 한자어를 알아봅시다.

성인(成人)

人
이룰 성	사람 인

뜻 자라서 어른이 된 사람

성년(成年)

年
이룰 성	해 년

뜻 자랄 대로 다 자란 나이

생성(生成)

生
날 생	이룰 성

뜻 사물이 생겨남.

공명(功名)

名
공 공	이름 명

뜻 공을 세워서 자기의 이름을 널리 드러냄.

성공(成功)

成
이룰 성	공 공

뜻 목적하는 바를 이룸.

공력(功力)

力
공 공	힘 력

뜻 애써서 들이는 정성과 힘

한자 확인

1 다음 한자의 뜻을 보기 에서 찾아 그 번호를 쓰세요.

보기
① 이루다, 완성하다   ② 뒤   ③ 공로, 업적   ④ 반, 가운데

(1) 功 → (   )

(2) 成 → (   )

어휘 확인

2 다음 한자어의 음(소리)으로 바른 것에 ∨표 하세요.

(1) 成年 → ☐ 성인   ☐ 성년

(2) 功名 → ☐ 공명   ☐ 공력

어휘 확인

3 다음 뜻에 해당하는 한자어를 찾아 선으로 이으세요.

자라서 어른이 된 사람

· 成功

· 成人

기초 집중 연습

급수 유형

4 다음 한자의 뜻과 음(소리)을 쓰세요.

> 보기
>
> 半 → 반 반

(1) 成 → (   )

(2) 功 → (   )

급수 유형

5 다음 밑줄 친 한자어의 독음을 쓰세요.

> 보기
>
> 後半 → 후반

(1) 이다음에 成人이 되면 자주 여행을 갈 거예요. → (   )

(2) 많은 功力을 들여 도서관을 지었습니다. → (   )

급수 유형

6 다음 뜻에 맞는 한자어를 보기 에서 찾아 그 번호를 쓰세요.

> 보기
>
> ① 生成   ② 成功   ③ 成年   ④ 功名

(1) 사물이 생겨남. → (   )

(2) 목적하는 바를 이룸. → (   )

大 戰
큰 대 　 싸움 전

🔍 다음 글을 읽고, 오늘 배울 한자를 확인해 보세요.

누나는 새침데기 중학생입니다.

'꺄아악-' 소리 지르며 배를 잡고 크게[大] 웃다가도

금세 새침해져서 싸움[戰]꾼처럼 매섭게 나를 노려보기도 합니다.

무슨 심통이 그런지 변덕스럽기가 말할 수 없습니다.

내가 무슨 대꾸라도 할라치면

우리 집은 한바탕 대전(大戰)을 치르는 전쟁터가 됩니다.

누나의 이 중3병을 어떡하면 좋을까요?

오늘 배울 한자

大 戰
큰 대 　 싸움 전

큰 대

사람이 팔다리를 벌리고 서 있는 모습을 본뜬 글자로, **크다**를 뜻해요.

QR을 보며 따라 써요!

大	大	大	大	大	大
큰 대	큰 대	큰 대	큰 대	큰 대	큰 대

싸움 전

고대에 사용하던 무기를 나열해 서로 다툰다는 의미를 나타낸 글자로, **싸움**이나 **전쟁**을 뜻해요.

QR을 보며 따라 써요!

戰	戰	戰	戰	戰	戰
싸움 전	싸움 전	싸움 전	싸움 전	싸움 전	싸움 전

4주

누난 뭐가 그렇게 우스워?

저 남자 말이야. 기껏 세운 구애 작전(作戰)이 도리어 여자 화를 불렀지 뭐야? 망신만 당하고……

난 별로 우습지 않은데.

넌 아직 어려서 그래!

누나, 시시한 드라마 말고 다른 거 보자. 응?

시시한 드라마 라고? 이런 역사적 대작(大作)을? 안 돼!

잠시 후

이번엔 왜 또 우는데?

사랑하는 여자를 두고 출전(出戰)해서 대전(大戰)을 치러야 하는 운명이라니…… 너무 가혹해. 흑흑!

아이고, 누나도 참! 걱정 마. 저 남자, 주인공이지? 죽지는 않을 거야. 그리고 사람이 대성(大成) 하려면 그깟 어려움쯤은 이겨 내야 하는 거 아냐?

넌 어려서 몰라. 사랑하는 사람과 헤어지는 게 얼마나 큰 고통인지…… 이건 인생에 있어 가장 중대(重大) 한 문제란 말이야.

난 누나가 하루에도 몇 번씩 울었다 웃었다 하는 게 더 중대한 문제라고 봐!

뭐? 너 말 다했어?

퍽!

항~복!

🔍 '大(큰 대)'와 '戰(싸움 전)'이 들어간 한자어를 알아봅시다.

 큰 대

 싸움 전

대작(大作)

| 큰 대 | 지을 작 |

뜻 뛰어난 작품

작전(作戰)

| 지을 작 | 싸움 전 |

뜻 어떤 일을 이루기 위하여 필요한 조치나 방법을 강구하거나 실행함.

대성(大成)

| 큰 대 | 이룰 성 |

뜻 크게 이룸.

출전(出戰)

| 날 출 | 싸움 전 |

뜻 싸우러 나감.

중대(重大)

| 무거울 중 | 큰 대 |

뜻 가볍게 여길 수 없을 만큼 매우 중요하고 큼.

대전(大戰)

| 큰 대 | 싸움 전 |

뜻 여러 나라가 참가하여 넓은 지역에 걸쳐 큰 전쟁을 벌임.

4주

3일

기타 한자

大 큰 대 | 戰 싸움 전

기초 실력을 키워요

한자 확인

1 그림 속 한자의 뜻과 음(소리)으로 알맞은 것을 찾아 ○표 하세요.

큰 대   공공

이룰 성   싸움 전

어휘 확인

2 다음 뜻에 해당하는 한자어를 찾아 선으로 이으세요.

뛰어난 작품

·

·

出戰

싸우러 나감.

·

·

大作

어휘 확인

3 다음 문장의 ☐ 에 어울리는 한자어를 보기 에서 찾아 그 번호를 쓰세요.

보기
① 出戰   ② 大戰   ③ 作戰   ④ 大作

● 축구 시합을 앞두고 ☐☐을 짭니다. → (   )

기초 집중 연습

🐰급수 유형

4 다음 밑줄 친 한자어의 독음을 쓰세요.

> 보기
>
> 成功 → 성공

(1) 두 차례에 걸친 세계 **大戰**은 큰 피해를 냈습니다. → (   )

(2) 지금 우리는 환경 변화의 **重大**한 기로에 서 있습니다. → (   )

🐰급수 유형

5 다음 문장에 어울리는 한자어가 되도록 [   ] 안에 알맞은 한자를 보기 에서 찾아 그 번호를 쓰세요.

> 보기
>
> ① 戰   ② 大   ③ 重   ④ 出

● 그는 실패를 교훈 삼아 [   ]成할 수 있었습니다. → (   )

🐰급수 유형

6 다음 한자의 뜻과 음(소리)을 쓰세요.

> 보기
>
> 功 → 공 공

(1) 大 → (   )

(2) 戰 → (   )

第 一

차례 제　　　한 일

🔍 다음 글을 읽고, 오늘 배울 한자를 확인해 보세요.

외삼촌이 운영하는 헤어 숍은 늘 많은 사람으로 북적입니다.
차례[第]를 지켜 나도 머리카락을 자릅니다.
세심한 손길로 꼼꼼하게 머리 손질을 받고 나면
거울 속에서 단정한 얼굴이 하나[一], 방긋 웃음꽃을 피웁니다.
내 생각에는 외삼촌 솜씨가 우리나라
제일(第一)입니다.

오늘 배울 한자

第 一

차례 제　　　한 일

연하게 쓰인 한자를 따라 써 본 후, 빈칸에 바르게 쓰세요.

차례 제

나무에 줄을 차례로 감아 놓은 모습에 대나무를 결합한 글자로, **차례, 순서**를 뜻해요.

QR을 보며 따라 써요!

第	第	第	第	第	第
차례 제	차례 제	차례 제	차례 제	차례 제	차례 제

한 일

막대기 하나를 옆으로 눕힌 모양으로, **하나**를 뜻해요.

QR을 보며 따라 써요!

4주

一	一	一	一	一	一
한 일	한 일	한 일	한 일	한 일	한 일

🔍 '第(차례 제)'와 '一(한 일)'이 들어간 한자어를 알아봅시다.

第 차례 제

一 한 일

제일(第一)

| 차례 제 | 한 일 |

뜻 여럿 가운데서 첫째가는 것

일등(一等)

| 한 일 | 무리 등 |

뜻 으뜸가는 등급

낙제(落第)

| 떨어질 락 | 차례 제 |

'落'이 낱말의 맨 앞에 올 때는 '낙'이라고 읽어요.

뜻 진학 또는 진급을 못 함. 시험이나 검사 따위에 떨어짐.

만일(萬一)

| 일만 만 | 한 일 |

뜻 혹시 있을지도 모르는 뜻밖의 경우

제삼자(第三者)

| 차례 제 | 석 삼 | 사람 자 |

뜻 일정한 일에 직접 관계가 없는 사람

동일(同一)

| 한가지 동 | 한 일 |

뜻 어떤 것과 비교하여 똑같음.

1 다음 한자의 뜻으로 알맞은 것을 찾아 선으로 이으세요.

第 •

一 •

• 하나

• 차례, 순서

어휘 확인

2 힌트를 보고. 다음 빈칸에 들어갈 알맞은 글자를 써넣으세요.

제 | [　]

[　] | 등

힌트
• 제[　] : 여럿 가운데서 첫째가는 것
• [　]등 : 으뜸가는 등급

어휘 확인

3 다음 문장에 어울리는 한자어를 찾아 ○표 하세요.

백화점에서 이전과 (同一 / 萬一)한 가격으로 1+1 행사를 합니다.

급수 유형

4 다음 한자의 뜻과 음(소리)을 쓰세요.

보기
$$大 \rightarrow 큰 대$$

(1) 第 → (   )

(2) 一 → (   )

급수 유형

5 다음 문장에 어울리는 한자어가 되도록 [   ] 안에 알맞은 한자를 보기 에서 찾아 그 번호를 쓰세요.

보기
① 一   ② 三   ③ 大   ④ 第

(1) 萬[   ] 내가 합격한다면 어머니께서 가장 기뻐할 것입니다. → (   )

(2) 건물을 빨리 짓는 것도 좋지만, 안전이 [   ]一 중요합니다. → (   )

급수 유형

6 다음 뜻에 맞는 한자어를 보기 에서 찾아 그 번호를 쓰세요.

보기
① 第一   ② 同一   ③ 萬一   ④ 一等

● 어떤 것과 비교하여 똑같음. → (   )

4주

音 樂

소리 음　즐길 락/노래 악/
　　　　좋아할 요

🔍 다음 글을 읽고, 오늘 배울 한자를 확인해 보세요.

공원의 산책 길을 걸으면 기분이 좋아집니다.
여기저기서 들려오는 아름다운 새 소리[音],
골짜기를 졸졸 흐르는 시냇물 소리[音].
마치 커다란 산이 노래[樂]를 부르는 것 같습니다.
그러면 나도 같이 콧노래를 흥얼거립니다.
자연과 함께하는 음악(音樂) 시간이지요.

오늘 배울 한자

音 樂
소리 음　즐길 락
　　　　노래 악
　　　　좋아할 요

소리 음

입에서 소리가 퍼져 나가는 모습을 표현한 글자로, 소리나 말, 음악을 뜻해요.

QR을 보며 따라 써요!

音	音	音	音	音	音
소리 음	소리 음	소리 음	소리 음	소리 음	소리 음

즐길 락/노래 악/좋아할 요

나무 받침대 위에 북과 방울 등 악기가 놓여 있는 모습을 나타낸 글자로, 즐기다[락], 노래[악], 좋아하다[요]를 뜻해요.

QR을 보며 따라 써요!

4주

樂	樂	樂	樂	樂	樂
즐길 락/노래 악/좋아할 요	즐길 락/노래 악/좋아할 요	즐길 락/노래 악/좋아할 요	즐길 락/노래 악/좋아할 요	즐길 락/노래 악/좋아할 요	즐길 락/노래 악/좋아할 요

계곡물 소리, 산새 소리가 아름답게 들리지 않니? 서로 화음(和音)을 맞춰 노래하는 듯해.

응. 정말 그러네. 자연의 음악(音樂)회 인가?

아, 나무와도 이야기할 수 있었으면 좋겠어!

우리가 듣지 못해서 그렇지, 아마 나무도 저희끼리는 말을 하면서 살지 않을까 싶어. 사람이 자음(子音)과 모음으로 만들어 내는 발음(發音)이 아니라 나무의 말로 말이지.

얼마 후

아빠, 이다음에 우리 나무가 많은 산골에 내려가 살아요.

나도 좋아, 누나! 헤헤!

아빠는 언제든 대환영이지! 숲속에서 스트레스 없이 자연의 악공(樂工)들과 더불어 즐겁게 살 수 있다면 얼마나 좋겠니?

산속에서 안락(安樂)한 삶을 꿈꾸다니, 다들 너무 순진한 거 아녜요?

아, 그건 듣기 좋은 자연의 음성이 아니군요.

히힛! 엄마는 자연파가 아닌 것 같아요.

그래, 엄마는 현실파다 현실파! 쯧쯧……

에구머니……

🔍 '音(소리 음)'과 '樂(즐길 락/노래 악/좋아할 요)'이 들어간 한자어를 알아봅시다.

 音 소리 음

 樂 즐길 락
노래 악
좋아할 요

화음(和音)

和	
화할 화	소리 음

뜻 높이가 다른 둘 이상의 음이 함께 울릴 때 어울리는 소리

음악(音樂)

音	
소리 음	즐길 락/노래 악/좋아할 요

뜻 목소리나 악기를 통하여 사상 또는 감정을 나타내는 예술

자음(子音)

子	
아들 자	소리 음

뜻 닿소리

악공(樂工)

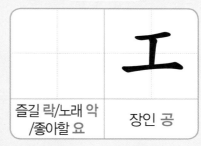

	工
즐길 락/노래 악/좋아할 요	장인 공

뜻 음악을 연주하는 사람

발음(發音)

發	
필 발	소리 음

뜻 음성을 냄.

안락(安樂)

安	
편안 안	즐길 락/노래 악/좋아할 요

뜻 몸과 마음이 편안하고 즐거움.

4주

5일

기타 한자

音 소리 음 | 樂 즐길 락 / 노래 악 / 좋아할 요

기초 실력을 키워요

한자 확인

1 다음 한자의 뜻과 음(소리)을 찾아 V표 하세요.

(1) 音 → ☐ 소리 ☐ 악 ☐ 음

(2) 樂 → ☐ 락 ☐ 배우다 ☐ 즐기다

어휘 확인

2 다음 내용이 맞으면 '예', 틀리면 '아니요'에 ◯표 하세요.

예   아니요

'和音'은 '높이가 다른 둘 이상의 음이 함께 울릴 때 어울리는 소리'를 뜻합니다.

예   아니요

'音樂'은 '몸과 마음이 편안하고 즐거움.'을 뜻합니다.

어휘 확인

3 다음 밑줄 친 한자어를 보기 에서 찾아 그 번호를 쓰세요.

보기

① 和音   ② 音樂   ③ 發音   ④ 子音

● <u>발음</u>이 분명하지 않으면 뜻을 제대로 전달할 수 없습니다. → (   )

기초 집중 **연습**

급수 유형

4 다음 뜻에 맞는 한자어를 보기 에서 찾아 그 번호를 쓰세요.

> 보기
> ① 音樂   ② 樂工   ③ 和音   ④ 發音

(1) 음악을 연주하는 사람 → (   )

(2) 음성을 냄. → (   )

급수 유형

5 다음 문장에 어울리는 한자어가 되도록 [ ] 안에 알맞은 한자를 보기 에서 찾아 그 번호를 쓰세요.

> 보기
> ① 音   ② 工   ③ 樂   ④ 第

(1) 숲속의 새들이 和[   ]을 맞춰 노래를 부릅니다. → (   )

(2) 자연 속에서 安[   ]한 생활을 즐기고 싶습니다. → (   )

급수 유형

6 다음 밑줄 친 한자어의 독음을 쓰세요.

> 보기
> 第一 → 제일

● 어머니께서는 고전 音樂을 좋아하십니다. → (   )

누구나 100점 TEST

1 다음 한자에 알맞은 뜻과 음(소리)을 찾아 선으로 이으세요.

戰　成　音

소리　싸움　이루다

전　음　성

2 다음 문장의 □에 어울리는 한자어에 ∨표 하세요.

● 그 선수는 이번이 처음 □□입니다.

☐ 第一　　☐ 出戰

3 다음 뜻에 해당하는 낱말을 찾아 ○표 하세요.

> 사람이나 동식물 따위가 자라서 점점 커짐.

 성인　　 성장

4 다음 뜻에 맞는 한자어를 보기 에서 찾아 그 번호를 쓰세요.

> **보기**
> ① 大成　② 半年　③ 安樂

(1) 한 해의 반 → (　　　　)

(2) 크게 이룸. → (　　　　)

(3) 몸과 마음이 편안하고 즐거움.
　　　　　→ (　　　　)

5 다음 문장에 어울리는 한자어에 ○표 하세요.

(1) 어머니께서는 (後半 / 後食)을 내오셨습니다.

(2) 삼촌처럼 (成功 / 生成)한 사업가가 되고 싶습니다.

6 다음 뜻과 음(소리)에 맞는 한자를 보기 에서 찾아 그 번호를 쓰세요.

보기
① 功   ② 後   ③ 第

(1) 공 공 → (   )

(2) 차례 제 → (   )

(3) 뒤 후 → (   )

7 다음 한자의 뜻과 음(소리)으로 올바른 것을 찾아 선으로 이으세요.

•   •

•   •

큰 대   반 반

8 다음 뜻에 해당하는 한자어를 찾아 ◯표 하세요.

어떤 것과 비교하여 똑같음.

功力   同一

9 다음 밑줄 친 한자어를 보기 에서 찾아 그 번호를 쓰세요.

보기
① 一等   ② 第一   ③ 生成

(1) 체내에 생성된 바이러스 항체

→ (   )

(2) 세계 제일의 기술을 선보인 기업

→ (   )

10 다음 십자말풀이를 보고, 빈칸에 들어갈 알맞은 한자를 보기 에서 찾아 그 번호를 쓰세요.   (   )

보기
① 半   ② 音   ③ 功

발

악

→ ☐악: 목소리나 악기를 통하여 사상 또는 감정을 나타내는 예술

↓ 발☐: 음성을 냄.

📖 국어+한문 **다음 만화를 읽고, 성어의 뜻을 생각해 보세요.**

山 戰 水 戰

메 **산**　싸움 **전**　물 **수**　싸움 **전**

야! 호!

뭐가 그렇게 좋아서 난리니?

드디어 엄마가 노트북 사 주시기로 했거든. 히히!

정말? 그렇게 끈질기게 졸라 대더니만……

백 번 찍어 안 넘어가는 나무 없다 이거야!

야, 무슨 비유가 그러니? 네 부모님이 들으시면 서운하시겠다.

그렇다는 얘기지 뭐. 헤헷!

근데 어떻게 설득했는데?

머쓱—

◆ 성어의 뜻을 살펴보며 빈칸에 알맞은 한자를 채우세요.

→ '산에서의 싸움과 물에서의 싸움'이라는 뜻으로, 세상의 온갖 고난을 다 겪어 세상일에 경험이 많음을 이르는 말

📖 코딩+한문 친구들에게 내가 키우는 금붕어를 소개해 주려고 해요. 다음 한자어의 음 (소리)으로 알맞은 모습을 한 물고기를 찾고, 오른쪽 그림에서 ◯표 하세요.

| 後半 | 成功 | 大戰 | 第一 | 音樂 |

가슴지느러미	얼굴	꼬리	등지느러미	비늘 모양
후식	성인	대작	동일	화음
후반	성장	중대	제일	음성
오후	성공	대전	일등	발음
후문	생성	대성	만일	음악

📖 음악+한문 좋은 소리를 내기 위한 바른 자세와 호흡법을 알아보고, 물음에 답하세요.

바른 자세와 호흡법

〈바른 자세〉

1. 어깨와 목의 힘을 빼고, 허리를 곧게 펴 바로 섭니다.

   – 시선은 약간 위쪽을 향합니다.
   – 팔은 자연스럽게 내립니다.
   – 양발은 약간 벌려 몸의 균형을 잡습니다.

〈호흡하기〉

2. 충분한 양의 공기를 들이마시고 자연스럽게 내쉽니다.

   – 허리를 꼿꼿이 세우고 공기를 양껏 들이마십니다.
   – 들이마신 공기(들숨)를 아랫배에 밀어 넣고 오래 참아 배가 탱탱하도록 탄력을 줍니다.
   – 천천히 조금씩 같은 양으로 내쉽니다(날숨).

〈소리 내기〉

3. 입 모양은 ㉠크고 정확하게 합니다.

   – 모음의 입 모양을 정확하게 하여 분명하게 발음합니다
     (ㅏ, ㅔ, ㅣ, ㅗ, ㅜ).
   – 고음부와 저음부를 따로 연습한 ㉡후 합창으로 불러 봅니다.
   – 억지로 소리를 내지 않습니다.

● 정답 21쪽

1 다음 ☐ 안에 공통으로 들어갈 한자를 찾아 ○표 하세요.

- 모 ☐의 입 모양을 정확하게 하여 분명하게 발음합니다.
- 고 ☐부와 저 ☐부를 따로 연습한 후 합창으로 불러 봅니다.

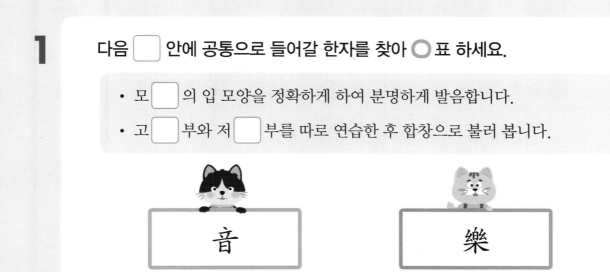

音   樂

2 ㉠, ㉡과 관련 있는 한자를 찾아 선으로 이으세요.

㉠ •   • 後

㉡ •   • 大

3 다음 밑줄 친 말에 해당하는 한자어를 보기 에서 찾아 쓰세요.

보기
第一   成功   音樂

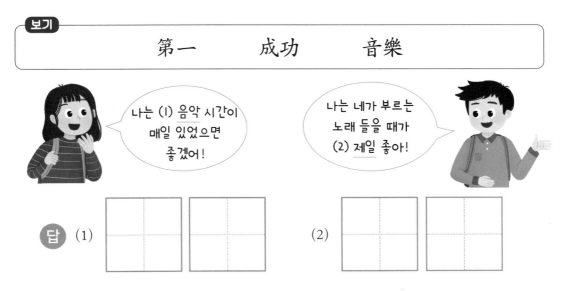

나는 (1) 음악 시간이 매일 있었으면 좋겠어!

나는 네가 부르는 노래 들을 때가 (2) 제일 좋아!

답 (1) ☐☐ ☐☐   (2) ☐☐ ☐☐

[문제 1~8] 다음 밑줄 친 漢字語한자어의 讀音(독음: 읽는 소리)을 쓰세요.

> **보기**
>
> 漢字 → 한자

1 오빠는 언제나 싫은 **氣色** 없이 내 책가방을 들어 줍니다.　(　　　　　)

2 **消火**기는 문 근처에 있습니다.
　　　　　　　　　　(　　　　　)

3 선생님은 고전 **音樂**을 좋아하십니다.
　　　　　　　　　　(　　　　　)

4 밥 먹은 **直後** 눕는 것은 좋지 않습니다.
　　　　　　　　　　(　　　　　)

5 미래의 내 **男便**을 그려 봅니다.
　　　　　　　　　　(　　　　　)

6 일기를 쓰며 오늘 하루를 **反省**해 봅니다.
　　　　　　　　　　(　　　　　)

7 경기가 **後半**으로 갈수록 더 흥미진진해집니다.　　　(　　　　　)

8 비상 **出口**는 반대쪽에 있습니다.
　　　　　　　　　　(　　　　　)

[문제 9~16] 다음 漢字한자의 訓(훈: 뜻)과 音(음: 소리)을 쓰세요.

> **보기**
>
> 字 → 글자 자

9 孝 (　　　　　　　)

10 不 (　　　　　　　)

11 長 (　　　　　　　)

12 運 (　　　　　　　)

13 始 (　　　　　　　)

14 立 (　　　　　　　)

15 戰 (　　　　　　　)

16 成 (　　　　　　　)

[문제 17] 다음 중 뜻이 서로 반대(상대)되는 漢字한자끼리 연결되지 않은 것을 고르세요.

17 ① 道 ↔ 理　② 心 ↔ 身
　　③ 出 ↔ 入　④ 火 ↔ 水
　　　　　　　（　　　　　　）

[문제 18] 다음 문장에 어울리는 漢字語한자어가 되도록 (　　) 안에 알맞은 한자를 보기 에서 찾아 그 번호를 쓰세요.

> 보기
> ① 注　② 第　③ 運　④ 正

18 나는 세계 (_____)一의 프로그래머가 되고 싶습니다.　（　　　　　　）

[문제 19] 다음 뜻에 맞는 漢字語한자어를 보기 에서 찾아 그 번호를 쓰세요.

> 보기
> ① 下直　② 孝道
> ③ 不信　④ 反問

19 물음에 대답하지 아니하고 되받아 물음.
　　　　　　　（　　　　　　）

[문제 20~23] 다음 밑줄 친 漢字語한자어를 漢字한자로 쓰세요.

20 오늘은 내 생일입니다.
　　　　　　　（　　　　　　）

21 대문을 활짝 열고 마당 청소를 하였습니다.
　　　　　　　（　　　　　　）

22 옛날, 산중에는 호랑이가 많았다고 합니다.　（　　　　　　）

23 나는 내 동생과 연년생입니다.
　　　　　　　（　　　　　　）

[문제 24~25] 다음 漢字한자의 진하게 표시된 획은 몇 번째 쓰는 획인지 보기 에서 찾아 그 번호를 쓰세요.

> 보기
> ① 첫 번째　　② 세 번째
> ③ 다섯 번째　④ 일곱 번째

24 　（　　　　　）

25 　（　　　　　）

[문제 1~8] 다음 밑줄 친 漢字語한자어의 讀音(독음: 읽는 소리)을 쓰세요.

보기

漢字 → 한자

1 이 열차는 오전 8시에 **出發**합니다.
( )

2 가족 간의 **對話**가 중요합니다.
( )

3 우리 집 가훈은 '성실과 **正直**'입니다.
( )

4 계절이 바뀔 때는 감기에 **注意**해야 합니다.
( )

5 **半年** 동안 많은 성과를 이루었습니다.
( )

6 친구들의 응원을 받으니 **勇氣**가 납니다.
( )

7 언제나 **一等**이 아니어도 좋습니다.
( )

8 네 잎 클로버는 **幸運**의 표시입니다.
( )

[문제 9~16] 다음 漢字한자의 訓(훈: 뜻)과 音(음: 소리)을 쓰세요.

보기

字 → 글자 자

9 心 ( )

10 信 ( )

11 後 ( )

12 理 ( )

13 作 ( )

14 用 ( )

15 音 ( )

16 功 ( )

[문제 17] **다음 중 뜻이 서로 반대(상대)되는 漢字**한자**끼리 연결되지 않은 것을 고르세요.**

17 ① 大 ↔ 小 ② 長 ↔ 短
　　③ 幸 ↔ 運 ④ 前 ↔ 後
　　　　　　　　　（　　　　）

[문제 18] **다음 문장에 어울리는 漢字語**한자어**가 되도록 (　　) 안에 알맞은 한자를 보기에서 찾아 그 번호를 쓰세요.**

> 보기
> ① 樂　　② 反　　③ 勇　　④ 不

18 <u>音(　　)</u> 시간에 합창 연습을 합니다.
　　　　　　　　　（　　　　）

[문제 19] **다음 뜻에 맞는 漢字語**한자어**를 보기에서 찾아 그 번호를 쓰세요.**

> 보기
> ① 第一　　② 長成
> ③ 始祖　　④ 功力

19 자라서 어른이 됨. （　　　　）

[문제 20~23] **다음 밑줄 친 漢字語**한자어**를 漢字**한자**로 쓰세요.**

20 <u>화산</u>이 폭발하면 신속히 대피해야 합니다.　　　　　（　　　　）

21 한 번뿐인 <u>인생</u>을 헛되이 살 수 없습니다.
　　　　　　　　　（　　　　）

22 만일 제가 반장이 된다면 우리 반의 일꾼이 되겠습니다.　（　　　　）

23 내 키가 <u>1년</u> 만에 훌쩍 커졌습니다.
　　　　　　　　　（　　　　）

[문제 24~25] **다음 漢字**한자**의 진하게 표시된 획은 몇 번째 쓰는 획인지 보기에서 찾아 그 번호를 쓰세요.**

> 보기
> ① 첫 번째　　　② 세 번째
> ③ 다섯 번째　　④ 일곱 번째

24 　（　　　　）

25 　（　　　　）

마음 한자

날랠 용

마음 한자

기운 기

마음 한자

돌이킬/돌아올 반

마음 한자

살필 성/덜 생

한자와 뜻·음(소리)을 쓰세요.

| 氣 | 뜻 _____ |
| | 음 _____ |

한자와 뜻·음(소리)을 쓰세요.

| 勇 | 뜻 _____ |
| | 음 _____ |

한자와 뜻·음(소리)을 쓰세요.

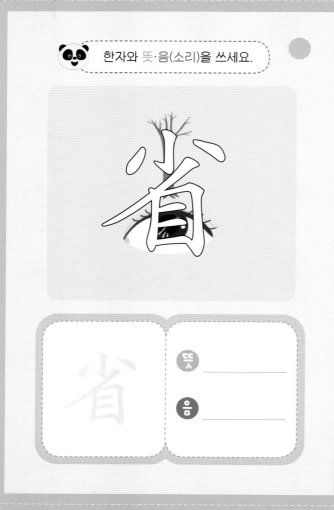

| 省 | 뜻 _____ |
| | 음 _____ |

한자와 뜻·음(소리)을 쓰세요.

| 反 | 뜻 _____ |
| | 음 _____ |

마음 한자

不
아닐 불

마음 한자

信
믿을 신

마음 한자

孝
효도 효

마음 한자

心
마음 심

한자와 뜻·음(소리)을 쓰세요.

信

뜻 _____

음 _____

한자와 뜻·음(소리)을 쓰세요.

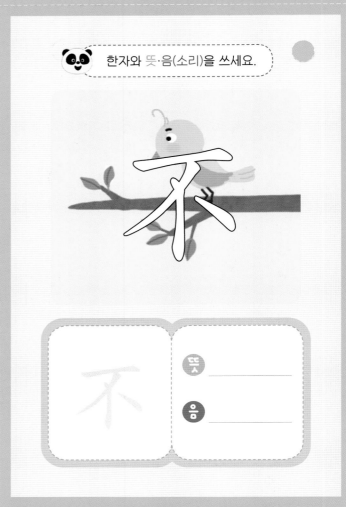

不

뜻 _____

음 _____

한자와 뜻·음(소리)을 쓰세요.

心

뜻 _____

음 _____

한자와 뜻·음(소리)을 쓰세요.

孝

뜻 _____

음 _____

마음 한자

부을 주

마음 한자

뜻 의

마음 한자

길 도

마음 한자

다스릴 리

마음 한자

한자와 뜻·음(소리)을 쓰세요.

意

뜻 _____

음 _____

한자와 뜻·음(소리)을 쓰세요.

注

뜻 _____

음 _____

한자와 뜻·음(소리)을 쓰세요.

理

뜻 _____

음 _____

한자와 뜻·음(소리)을 쓰세요.

道

뜻 _____

음 _____

마음 한자

다행 행

마음 한자

옮길 운

마음 한자

바를 정

마음 한자

곧을 직

한자와 뜻·음(소리)을 쓰세요.

運

뜻 _____

음 _____

한자와 뜻·음(소리)을 쓰세요.

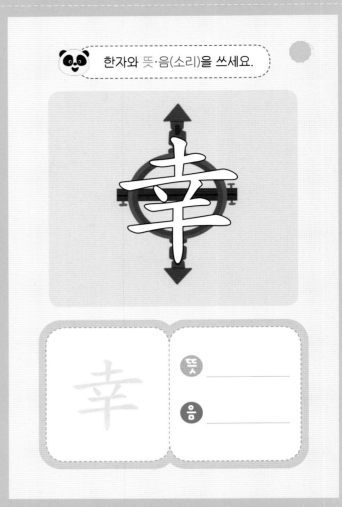

幸

뜻 _____

음 _____

한자와 뜻·음(소리)을 쓰세요.

直

뜻 _____

음 _____

한자와 뜻·음(소리)을 쓰세요.

正

뜻 _____

음 _____

마음 한자

便
편할 편/똥오줌 변

마음 한자

安
편안 안

상태 한자

長
긴 장

상태 한자

短
짧을 단

마음 한자

마음 한자

한자와 뜻·음(소리)을 쓰세요.

安

뜻 _____

음 _____

한자와 뜻·음(소리)을 쓰세요.

便

뜻 _____

음 _____

한자와 뜻·음(소리)을 쓰세요.

短

뜻 _____

음 _____

한자와 뜻·음(소리)을 쓰세요.

長

뜻 _____

음 _____

행동 한자

始

비로소 시

행동 한자

作

지을 작

행동 한자

出

날 출

행동 한자

發

필 발

한자와 뜻·음(소리)을 쓰세요.

| 作 | 뜻 _____ |
| | 음 _____ |

한자와 뜻·음(소리)을 쓰세요.

| 始 | 뜻 _____ |
| | 음 _____ |

한자와 뜻·음(소리)을 쓰세요.

| 發 | 뜻 _____ |
| | 음 _____ |

한자와 뜻·음(소리)을 쓰세요.

| 出 | 뜻 _____ |
| | 음 _____ |

행동 한자

對
대할 대

행동 한자

立
설 립

행동 한자

利
이할 리

행동 한자

用
쓸 용

한자와 뜻·음(소리)을 쓰세요.

立

뜻 _____

음 _____

한자와 뜻·음(소리)을 쓰세요.

對

뜻 _____

음 _____

한자와 뜻·음(소리)을 쓰세요.

用

뜻 _____

음 _____

한자와 뜻·음(소리)을 쓰세요.

利

뜻 _____

음 _____

행동 한자

사라질 소

행동 한자

불 화

기타 한자

뒤 후

기타 한자

반 반

🐼 한자와 뜻·음(소리)을 쓰세요.

火	뜻 _____
	음 _____

🐼 한자와 뜻·음(소리)을 쓰세요.

消	뜻 _____
	음 _____

🐼 한자와 뜻·음(소리)을 쓰세요.

半	뜻 _____
	음 _____

🐼 한자와 뜻·음(소리)을 쓰세요.

後	뜻 _____
	음 _____

기타 한자

成
이룰 성

기타 한자

功
공 공

기타 한자

大
큰 대

기타 한자

戰
싸움 전

한자와 뜻·음(소리)을 쓰세요.

| 功 | 뜻 _____ |
| | 음 _____ |

한자와 뜻·음(소리)을 쓰세요.

| 成 | 뜻 _____ |
| | 음 _____ |

한자와 뜻·음(소리)을 쓰세요.

| 戰 | 뜻 _____ |
| | 음 _____ |

한자와 뜻·음(소리)을 쓰세요.

| 大 | 뜻 _____ |
| | 음 _____ |

기타 한자

차례 제

기타 한자

한 일

기타 한자

소리 음

기타 한자

즐길 락/노래 악/좋아할 요

한자와 뜻·음(소리)을 쓰세요.

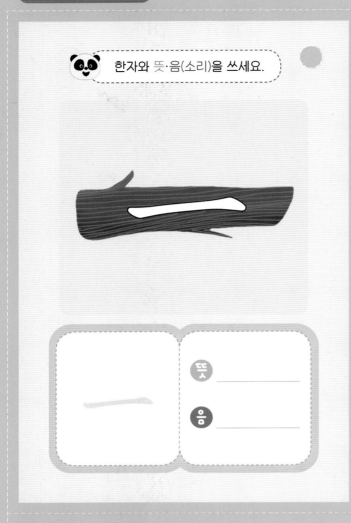

一

뜻 _____

음 _____

한자와 뜻·음(소리)을 쓰세요.

第

뜻 _____

음 _____

한자와 뜻·음(소리)을 쓰세요.

樂

뜻 _____

음 _____

한자와 뜻·음(소리)을 쓰세요.

音

뜻 _____

음 _____

水 漁 之 交

물 물고기 갈 사귈

수 어 지 교

물고기에게 물은 정말 소중한 존재이지요.
수어지교란 물고기와 물의 관계처럼,
아주 친밀하여 떨어질 수 없는 사이
또는 깊은 우정을 일컫는 말이랍니다.

똑똑한 하루 시/리/즈

쉽다!

10분이면 하루치 공부를 마칠 수 있는 커리큘럼으로, 아이들이 초등 학습에 쉽고 재미있게 접근할 수 있도록 구성하였습니다.

재미있다!

교과서는 물론 생활 속에서 쉽게 접할 수 있는 다양한 소재와 재미있는 게임 형식의 문제로 흥미로운 학습이 가능합니다.

똑똑하다!

초등학생에게 꼭 필요한 학습 지식 습득은 물론 창의력 확장까지 가능한 교재로 올바른 공부습관을 가지는 데 도움을 줍니다.

과목	교재 구성	과목	교재 구성	
하루 독해	예비초~6학년 각 A·B (14권)	하루 VOCA	3~6학년 각 A·B (8권)	
하루 어휘	예비초~6학년 각 A·B (14권)	하루 Grammar	3~6학년 각 A·B (8권)	
하루 글쓰기	예비초~6학년 각 A·B (14권)	하루 Reading	3~6학년 각 A·B (8권)	
하루 한자	예비초: 예비초 A·B (2권) 1~6학년: 1A~4C (12권)	하루 Phonics	Starter A·B / 1A~3B (8권)	
하루 수학	1~6학년 1·2학기 (12권)	하루 봄·여름·가을·겨울	1~2학년 각 2권 (8권)	
하루 계산	예비초~6학년 각 A·B (14권)	하루 사회	3~6학년 1·2학기 (8권)	
하루 도형	예비초~6학년 각 A·B (14권)	하루 과학	3~6학년 1·2학기 (8권)	
하루 사고력	1~6학년 각 A·B (12권)	하루 안전	1~2학년 (2권)	

※ 각 교재별 출간 시기는 조금씩 다르며, 일부 교재는 순차적으로 출시될 예정입니다.

똑 똑 한

하루
한자

정답

4 단계
C

6급Ⅱ 기초3

천재교육

배운 내용은
꼭꼭 복습하기!

똑 똑 한

하루
한자

정답

4 **단계**
C
6급 II 기초3

1주 도입

1주 1주에는 무엇을 공부할까? ❷

☆ 이번 주에 배울 한자를 보기 의 순서대로 선으로 이어 심청이 아버지를 찾게 해 주세요.
그리고 그중 빨간색으로 표시된 한자의 음(소리)을 □ 안에 써서 문구를 완성하세요.

보기
勇 날랠 용 → 氣 기운 기 → 反 돌이킬/돌아올 반 → 省 살필 성/덜 생 → 不 아닐 불
→ 信 믿을 신 → 孝 효도 효 → 心 마음 심 → 注 부을 주 → 意 뜻 의

효 녀 심청의 용 기!

1주 1일

1일 마음 한자 勇 날랠 용 | 氣 기운 기 | 기초 실력을 키워요

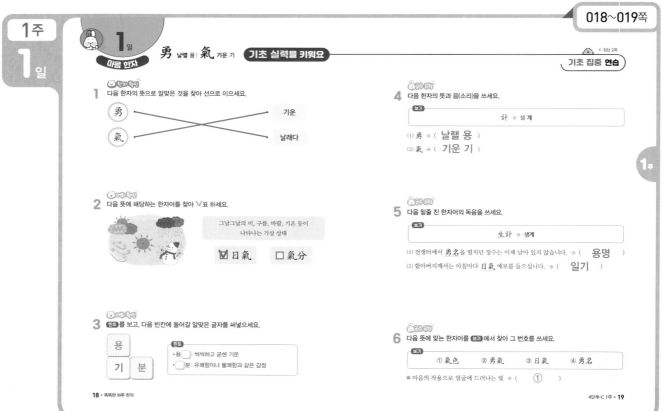

기초 집중 연습

1 다음 한자의 뜻으로 알맞은 것을 찾아 선으로 이으세요.
勇 ╳ 기운
氣 ╳ 날래다

2 다음 뜻에 해당하는 한자어를 찾아 ∨표 하세요.
그날그날의 비, 구름, 바람, 기온 등이 나타나는 기상 상태
☑ 日氣   □ 氣分

3 힌트 를 보고, 다음 빈칸에 들어갈 알맞은 글자를 써넣으세요.
용
기 분
힌트
• 용 : 씩씩하고 굳센 기운
• 분 : 유쾌함이나 불쾌함과 같은 감정

4 다음 한자의 뜻과 음(소리)을 쓰세요.
보기
하 → 셀 계
(1) 勇 → (날랠 용)
(2) 氣 → (기운 기)

5 다음 밑줄 친 한자어의 독음을 쓰세요.
보기
生하 → 생계
(1) 전쟁터에서 勇名을 떨치던 장수는 이제 남아 있지 않습니다. → (용명)
(2) 할아버지께서는 아침마다 日氣 예보를 들으십니다. → (일기)

6 다음 뜻에 맞는 한자어를 보기 에서 찾아 그 번호를 쓰세요.
보기
① 氣色   ② 勇氣   ③ 日氣   ④ 勇名
• 마음의 작용으로 얼굴에 드러나는 빛 → (①)

1주 2일

2일 마음 한자 | 反 돌이킬/돌아올 반 | 省 살필 성/덜 생 | **기초 실력을 키워요**

정답 3쪽

기초 집중 연습

뜻과 확인

1 다음 한자의 뜻에 알맞은 음(소리)을 □에 쓰세요.

省

- 살필 [성]
- 덜 [생]

어휘 확인

2 그림 속 내용이 맞으면 '예', 틀리면 '아니요'에 ○표 하세요.

'反問'은 '뒤에 오는 말이 앞의 내용과 상반됨을 나타내는 말'을 뜻합니다.
예 / (아니요)

'反省'은 '잘못이나 부족함이 없는지 돌이켜 봄.'이라는 뜻입니다.
(예) / 아니요

어휘 확인

3 다음 한자어에서 밑줄 친 글자의 공통된 뜻을 찾아 ∨표 하세요.

反對   反問

□ 살피다   ☑ 돌이키다

교과 어휘

4 다음 밑줄 친 한자어의 독음을 쓰세요.

보기
勇氣 → 용기

(1) 나는 오늘 친구와 다툰 일을 反省하였습니다. → (반성)

(2) 엄마의 反對로 외식을 하지 못하게 되었습니다. → (반대)

교과 어휘

5 다음 문장에 어울리는 한자어가 되도록 [ ] 안에 알맞은 한자를 보기에서 찾아 그 번호를 쓰세요.

보기
① 省   ② 對   ③ 反   ④ 面

(1) 동생은 줄곧 [ ]問을 해서 나를 당황하게 만듭니다. → (③)

(2) 동생한테 윽박지른 것을 自[ ]하였습니다. → (①)

교과 어휘

6 다음 뜻에 맞는 한자어를 보기에서 찾아 그 번호를 쓰세요.

보기
① 反面   ② 反省   ③ 反問   ④ 反對

● 등지거나 서로 맞섬. → (④)

24 · 똑똑한 하루 한자   4단계-C 1주 · 25

1주 3일

3일 마음 한자 | 不 아닐 불 | 信 믿을 신 | **기초 실력을 키워요**

정답 3쪽

기초 집중 연습

뜻과 확인

1 다음 한자의 뜻과 음(소리)으로 알맞은 것을 찾아 ∨표 하세요.

不
뜻: ☑ 아니다 □ 살피다
음: □ 성 ☑ 불

信
뜻: □ 돌이키다 ☑ 믿다
음: ☑ 신 □ 반

어휘 확인

2 다음 한자어의 뜻으로 알맞은 것을 찾아 선으로 이으세요.

不幸 ——— 믿어 의심하지 아니함.
信用 ——— 행복하지 아니함.

어휘 확인

3 다음 밑줄 친 한자어의 독음으로 알맞은 것에 ∨표 하세요.

自信이 없으면 실수하게 마련입니다.

과신감을 가지고 용을 하는 거야!

□ 불신   ☑ 자신

교과 어휘

4 다음 문장에 어울리는 한자어가 되도록 [ ] 안에 알맞은 한자를 보기에서 찾아 그 번호를 쓰세요.

보기
① 自   ② 不   ③ 信   ④ 安

(1) 이 일은 제가 [ ]注意해서 벌어진 일입니다. → (②)

(2) 사람은 [ ]用이 있어야 합니다. → (③)

교과 어휘

5 다음 뜻에 맞는 한자어를 보기에서 찾아 그 번호를 쓰세요.

보기
① 不信   ② 不幸   ③ 自信   ④ 信用

(1) 믿지 아니함. → (①)

(2) 스스로 굳게 믿음. → (③)

교과 어휘

6 다음 한자의 뜻과 음(소리)을 쓰세요.

보기
反 → 돌이킬/돌아올 반

(1) 不 → (아닐 불)

(2) 信 → (믿을 신)

30 · 똑똑한 하루 한자   4단계-C 1주 · 31

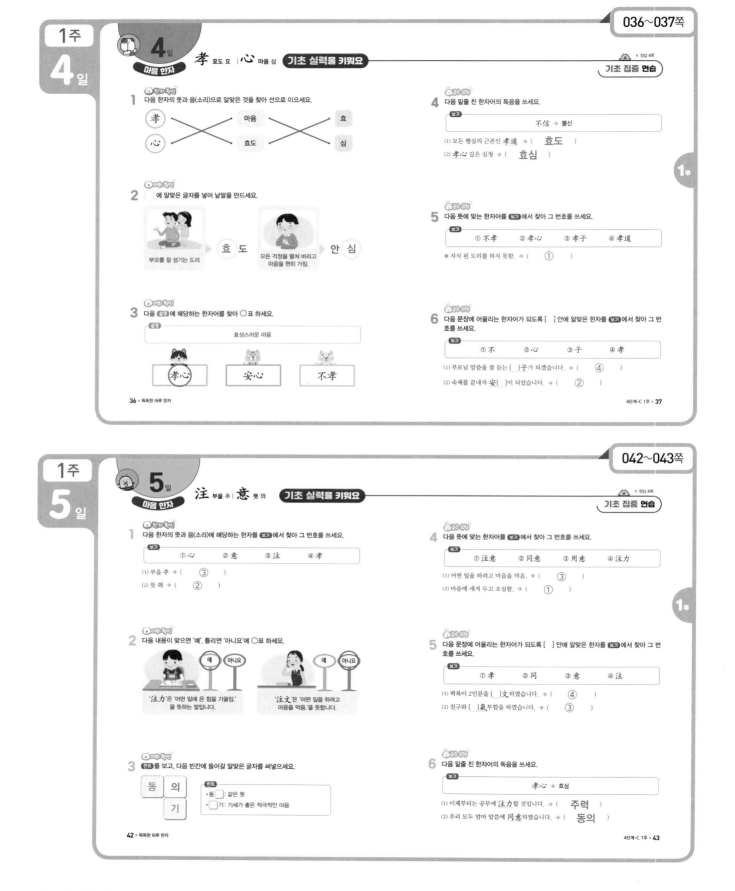

1주 4일

4일

孝 효도 효 | 心 마음 심 　기초 실력을 키워요

기초 집중 **연습**

1 다음 한자의 뜻과 음(소리)으로 알맞은 것을 찾아 선으로 이으세요.

孝 ✕ 마음 ✕ 효
心 　 효도 　 심

2 ☐에 알맞은 글자를 넣어 낱말을 만드세요.

부모를 잘 섬기는 도리 → 효 도

모든 걱정을 떨쳐 버리고 마음을 편히 가짐. → 안 심

3 다음 설명에 해당하는 한자어를 찾아 ○표 하세요.

설명: 효성스러운 마음

孝心 ○ 　安心 　不孝

4 다음 밑줄 친 한자어의 독음을 쓰세요.

보기: 不信 → 불신

(1) 모든 행실의 근본인 孝道 → (효도)

(2) 孝心 깊은 심청 → (효심)

5 다음 뜻에 맞는 한자어를 보기에서 찾아 그 번호를 쓰세요.

보기: ① 不孝　② 孝心　③ 孝子　④ 孝道

● 자식 된 도리를 하지 못함. → (①)

6 다음 문장에 어울리는 한자어가 되도록 [ ] 안에 알맞은 한자를 보기에서 찾아 그 번호를 쓰세요.

보기: ① 不　② 心　③ 子　④ 孝

(1) 부모님 말씀을 잘 듣는 [ ]子가 되겠습니다. → (④)

(2) 숙제를 끝내자 安[ ]이 되었습니다. → (②)

36 • 똑똑한 하루 한자　　4단계-C 1주 • 37

1주 5일

5일

注 부을 주 | 意 뜻 의 　기초 실력을 키워요

기초 집중 **연습**

1 다음 한자의 뜻과 음(소리)에 해당하는 한자를 보기에서 찾아 그 번호를 쓰세요.

보기: ① 心　② 意　③ 注　④ 孝

(1) 부을 주 → (③)

(2) 뜻 의 → (②)

2 다음 내용이 맞으면 '예', 틀리면 '아니요'에 ○표 하세요.

'注力'은 '어떤 일에 온 힘을 기울임.'을 뜻하는 말입니다. 예 / 아니요

'注文'은 '어떤 일을 하려고 마음을 먹음.'을 뜻합니다. 예 / 아니요

3 힌트를 보고, 다음 빈칸에 들어갈 알맞은 글자를 써넣으세요.

동 의
기

힌트:
• 동 ☐: 같은 뜻
• ☐기: 기세가 좋은 적극적인 마음

4 다음 뜻에 맞는 한자어를 보기에서 찾아 그 번호를 쓰세요.

보기: ① 注意　② 同意　③ 用意　④ 注力

(1) 어떤 일을 하려고 마음을 먹음. → (③)

(2) 마음에 새겨 두고 조심함. → (①)

5 다음 문장에 어울리는 한자어가 되도록 [ ] 안에 알맞은 한자를 보기에서 찾아 그 번호를 쓰세요.

보기: ① 孝　② 同　③ 意　④ 注

(1) 떡볶이 2인분을 [ ]文하였습니다. → (④)

(2) 친구와 [ ]氣투합을 하였습니다. → (③)

6 다음 밑줄 친 한자어의 독음을 쓰세요.

보기: 孝心 → 효심

(1) 이제부터는 공부에 注力할 것입니다. → (주력)

(2) 우리 모두 엄마 말씀에 同意하였습니다. → (동의)

42 • 똑똑한 하루 한자　　4단계-C 1주 • 43

1주 누구나 100점 TEST

정답 5쪽
맞은 개수 / 10개

1 다음 뜻을 나타내는 한자어를 찾아 ○표 하세요.

씩씩하고 굳센 기운

勇氣 ⟵ ○
孝道

2 다음 한자의 음(소리)을 보기에서 찾아 그 번호를 쓰세요.

보기
① 신 ② 반 ③ 주

(1) 反 → (②)
(2) 信 → (①)
(3) 注 → (③)

3 다음 한자의 뜻으로 알맞은 것을 찾아 선으로 이으세요.

(1) 氣 — 살피다/덜다
(2) 省 — 뜻
(3) 意 — 기운

(연결선 교차)

4 다음 밑줄 친 한자어를 보기에서 찾아 그 번호를 쓰세요.

보기
① 反省 ② 孝心 ③ 日氣

(1) 오늘은 일기가 좋지 않습니다.
→ (③)
(2) 지난 잘못을 반성하였습니다.
→ (①)
(3) 어머니는 효심이 깊습니다.
→ (②)

5 다음 한자의 뜻과 음(소리)으로 알맞은 것에 ✔표 하세요.

(1) 不
✔ 아닐 불 □ 기운 기

(2) 心
□ 효도 효 ✔ 마음 심

(3) 勇
✔ 날랠 용 □ 뜻 의

6 에 알맞은 글자를 넣어 낱말을 만드세요.

용감하고 사납다는 명성
→ 용 명

효성스러운 마음
→ 효 심

7 다음 한자어의 음(소리)을 보기에서 찾아 그 번호를 쓰세요.

보기
① 신용 ② 기분 ③ 반대

(1) 氣分 → (②)
(2) 信用 → (①)
(3) 反對 → (③)

8 다음 한자의 뜻으로 알맞은 것을 찾아 선으로 이으세요.

勇 注 信
붓다 믿다 날래다

(연결선 교차)

9 다음 한자의 뜻과 음(소리)을 쓰세요.

(1) 意 → (뜻 의)
(2) 孝 → (효도 효)

10 다음 십자말풀이를 보고, 빈칸에 들어갈 알맞은 한자를 보기에서 찾아 그 번호를 쓰세요. (③)

보기
① 安 ② 心 ③ 孝

불 [ ] 자

→ [ ]자: 부모를 잘 섬기는 아들
↓ 불[ ]: 자식 된 도리를 하지 못함.

44 • 똑똑한 하루 한자
4단계-C 1주 • 45

1주 특강 창의·융합·코딩 생각을 키워요 ❶

정답 5쪽

📖 국어+한문 다음 만화를 읽고, 성어의 뜻을 생각해 보세요.

尾生之信
꼬리 미 · 날 생 · 갈 지 · 믿을 신

◆ 성어의 뜻을 살펴보며 빈칸에 알맞은 한자를 채우세요.

尾(미) 生(생) 之(지) 信(신)

→ '미생(尾生)의 믿음'이란 뜻으로, 융통성이 없이 약속만을 굳게 지킴을 이르는 말

46 • 똑똑한 하루 한자
4단계-C 1주 • 47

4단계-C 정답 • **5**

1주 특강

1주 특강 ❷ 생각을 키워요 ❷

창의·융합·코딩

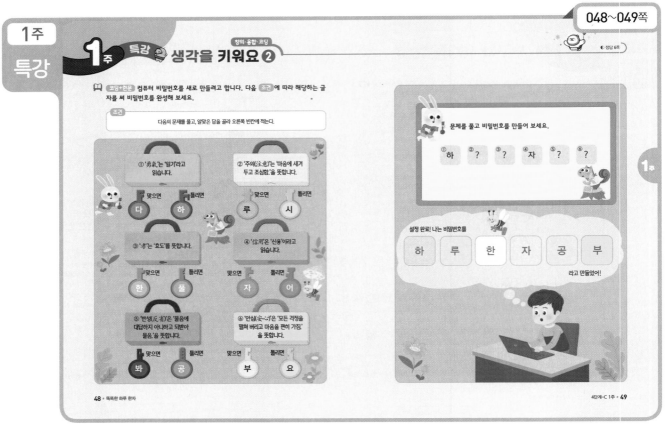

1주 특강

1주 특강 ❸ 생각을 키워요 ❸

창의·융합·코딩

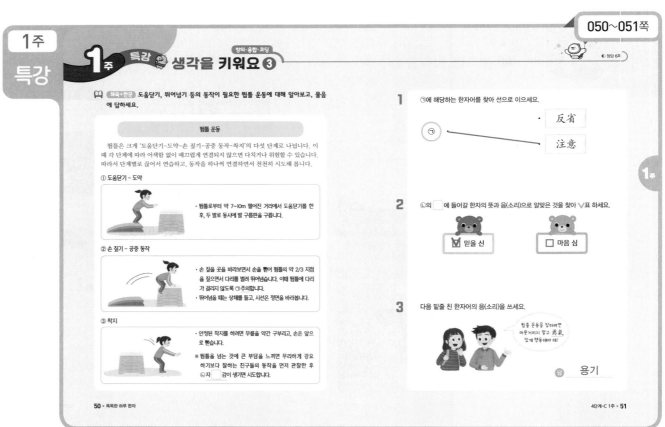

2주
도입

2주
2주에는 무엇을 공부할까? ❷

❀ 정답 7쪽

☀ 이번 주에 배울 한자들이 그림 속에 숨어 있어요. 보기를 참고해서 한자를 찾아보고, ⬭에 해당 한자의 음(소리)을 쓰세요.

보기
道 길 도 理 다스릴 리 幸 다행 행 運 옮길 운 正 바를 정
直 곧을 직 便 편할 편/똥오줌 변 安 편안 안 長 긴 장 短 짧을 단

54 • 똑똑한 하루 한자

4단계-C 2주 • 55

2주
1일

마음 한자 1일

道 길 도 | 理 다스릴 리   **기초 실력을 키워요**

❀ 정답 7쪽

기초 집중 연습

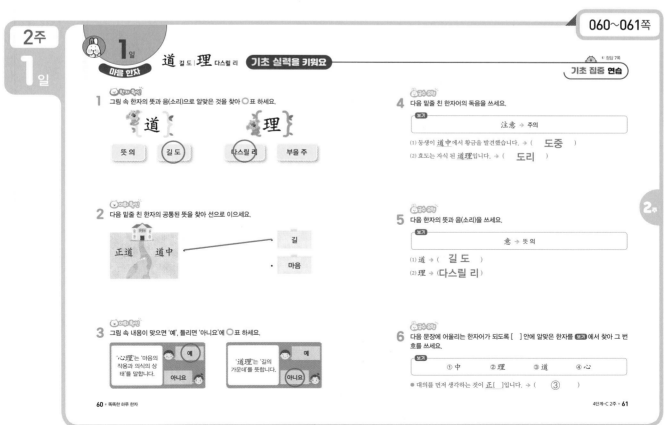

한자 확인

1 그림 속 한자의 뜻과 음(소리)으로 알맞은 것을 찾아 ◯표 하세요.

道   理

뜻 의 (길 도)   다스릴 리 부을 주

어휘 확인

2 다음 밑줄 친 한자의 공통된 뜻을 찾아 선으로 이으세요.

正道   道中   • 길
                   • 마음

어휘 확인

3 그림 속 내용이 맞으면 '예', 틀리면 '아니요'에 ◯표 하세요.

'心理'는 '마음의 작용과 의식의 상태'를 말합니다.   예 / 아니요

'道理'는 '길의 가운데'를 뜻합니다.   예 / 아니요

독음 쓰기

4 다음 밑줄 친 한자어의 독음을 쓰세요.

보기
注意 ➡ 주의

(1) 동생이 道中에서 황금을 발견했습니다. ➡ (도중)
(2) 효도는 자식 된 道理입니다. ➡ (도리)

뜻과 음

5 다음 한자의 뜻과 음(소리)을 쓰세요.

보기
意 ➡ 뜻 의

(1) 道 ➡ (길 도)
(2) 理 ➡ (다스릴 리)

한자 쓰기

6 다음 문장에 어울리는 한자어가 되도록 [ ] 안에 알맞은 한자를 보기에서 찾아 그 번호를 쓰세요.

보기
① 中   ② 理   ③ 道   ④ 心

● 대의를 먼저 생각하는 것이 正[ ]입니다. ➡ (③)

60 • 똑똑한 하루 한자

4단계-C 2주 • 61

4단계-C 정답 • **7**

2주 2일

마음 한자

幸 다행 행 運 옮길 운 | 기초 실력을 키워요

기초 집중 연습

1 다음 한자의 뜻으로 알맞은 것을 찾아 ∨표 하세요.

(1) 幸 → ☐ 길, 도리 | ☑ 다행, 행복
(2) 運 → ☑ 옮기다, 움직이다 | ☐ 다스리다, 이치

2 ☐에 알맞은 글자를 넣어 낱말을 만드세요.

하늘이 준 큰 행운 → 천 행
체조, 운동 경기, 놀이 등을 할 수 있는 넓은 마당 → 운 동장

3 다음 설명에 해당하는 한자어를 찾아 ◯표 하세요.

설명: 모든 것을 지배하는 초인간적인 힘

幸運 | 運命(◯) | 幸福

4 다음 한자의 뜻과 음(소리)을 쓰세요.

보기: 理 → 다스릴 리

(1) 幸 → (다행 행)
(2) 運 → (옮길 운)

5 다음 문장에 어울리는 한자어가 되도록 [ ] 안에 알맞은 한자를 보기에서 찾아 그 번호를 쓰세요.

보기: ①動 ②幸 ③場 ④運

(1) 오늘은 나에게 [ ]運이 잇따라 찾아왔습니다. → (②)
(2) 우리들의 [ ]命을 다른 사람에게 맡길 수 없습니다. → (④)

6 다음 뜻에 맞는 한자어를 보기에서 찾아 그 번호를 쓰세요.

보기: ①幸運 ②運動場 ③運命 ④道理

● 좋은 운수 → (①)

66 • 똑똑한 하루 한자
4단계-C 2주 • 67

2주 3일

마음 한자

正 바를 정 直 곧을 직 | 기초 실력을 키워요

기초 집중 연습

1 다음 한자의 뜻으로 옳은 것에 ◯표 하세요.

正 → 바르다(◯) | 날래다
直 → 움직이다 | 곧다(◯)

2 다음 한자어의 음(소리)으로 알맞은 것을 찾아 선으로 이으세요.

子正 ——— 자정
正直 ——— 정직

3 '낮 12시'를 뜻하는 한자어를 찾아 ∨표 하세요.

☐ 子正
☑ 正午

4 다음 밑줄 친 한자어의 독음을 쓰세요.

보기: 幸運 → 행운

(1) 그것은 正答이 아닙니다. → (정답)
(2) 어른들에게 下直 인사를 드렸습니다. → (하직)

5 다음 뜻에 맞는 한자어를 보기에서 찾아 그 번호를 쓰세요.

보기: ①正答 ②正直 ③正午 ④子正

(1) 밤 열두 시 → (④)
(2) 마음에 거짓이나 꾸밈이 없이 바르고 곧음. → (②)

6 다음 문장에 어울리는 한자어가 되도록 [ ] 안에 알맞은 한자를 보기에서 찾아 그 번호를 쓰세요.

보기: ①正 ②下 ③子 ④直

(1) 식사 [ ]後에는 가볍게 산책하는 게 좋습니다. → (④)
(2) [ ]午를 알리는 시계 종소리가 울립니다. → (①)

72 • 똑똑한 하루 한자
4단계-C 2주 • 73

2주
4일

마음 한자 便 편할 편/ 똥오줌 변 | 安 편안 안 **기초 실력을 키워요**

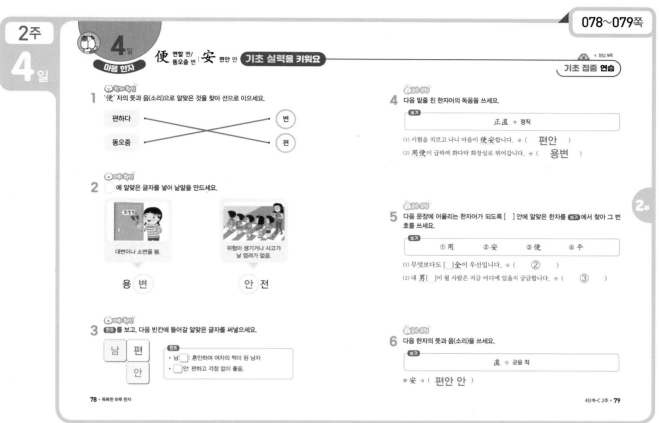

정답 9쪽

기초 집중 연습

1 '便' 자의 뜻과 음(소리)으로 알맞은 것을 찾아 선으로 이으세요.

편하다 ——— 변
똥오줌 ——— 편

2 ○에 알맞은 글자를 넣어 낱말을 만드세요.

대변이나 소변을 봄.
용 **변**

위험이 생기거나 사고가 날 염려가 없음.
안 **전**

3 인트를 보고, 다음 빈칸에 들어갈 알맞은 글자를 써넣으세요.

남 **편**
안

• 남○: 혼인하여 여자의 짝이 된 남자
• ○안: 편하고 걱정 없이 좋음.

4 다음 밑줄 친 한자어의 독음을 쓰세요.

보기
正直 → 정직

(1) 시험을 치르고 나니 마음이 便安합니다. → (**편안**)
(2) 用便이 급하여 화다닥 화장실로 뛰어갑니다. → (**용변**)

5 다음 문장에 어울리는 한자어가 되도록 [ ] 안에 알맞은 한자를 보기 에서 찾아 그 번호를 쓰세요.

보기
①用 ②安 ③便 ④平

(1) 무엇보다도 [ ]全이 우선입니다. → (②)
(2) 내 男[ ]이 될 사람은 지금 어디에 있을지 궁금합니다. → (③)

6 다음 한자의 뜻과 음(소리)을 쓰세요.

보기
直 → 곧을 직

• 安 → (**편안 안**)

78 · 똑똑한 하루 한자
4단계-C 2주 · 79

2주
5일

상태 한자 長 긴 장 | 短 짧을 단 **기초 실력을 키워요**

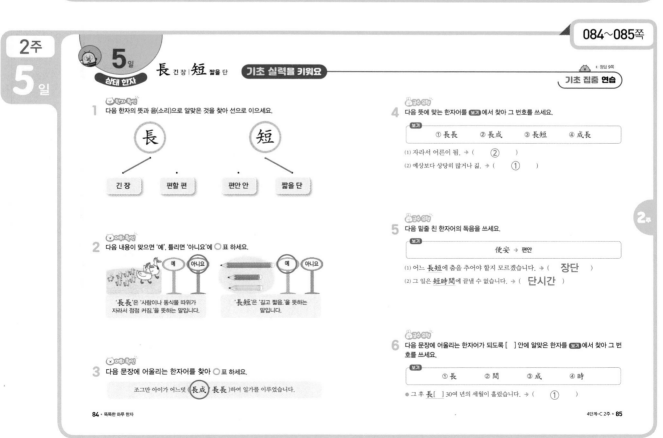

정답 9쪽

기초 집중 연습

1 다음 한자의 뜻과 음(소리)으로 알맞은 것을 찾아 선으로 이으세요.

長 短

긴 장 · 편할 편 · 편안 안 · 짧을 단

2 다음 내용이 맞으면 '예', 틀리면 '아니요'에 ○표 하세요.

예 아니요

'長長'은 '사람이나 동식물 따위가 자라서 점점 커짐.'을 뜻하는 말입니다.

예 아니요

'長短'은 '길고 짧음.'을 뜻하는 말입니다.

3 다음 문장에 어울리는 한자어를 찾아 ○표 하세요.

조그만 아이가 어느덧 (長成) 長長)하여 일가를 이루었습니다.

4 다음 뜻에 맞는 한자어를 보기 에서 찾아 그 번호를 쓰세요.

보기
①長長 ②長成 ③長短 ④成長

(1) 자라서 어른이 됨. → (②)
(2) 예상보다 상당히 많거나 깁. → (①)

5 다음 밑줄 친 한자어의 독음을 쓰세요.

보기
便安 → 편안

(1) 어느 長短에 춤을 추어야 할지 모르겠습니다. → (**장단**)
(2) 그 일은 短時間에 끝낼 수 없습니다. → (**단시간**)

6 다음 문장에 어울리는 한자어가 되도록 [ ] 안에 알맞은 한자를 보기 에서 찾아 그 번호를 쓰세요.

보기
①長 ②間 ③成 ④時

• 그 후 長[ ] 30여 년의 세월이 흘렀습니다. → (①)

84 · 똑똑한 하루 한자
4단계-C 2주 · 85

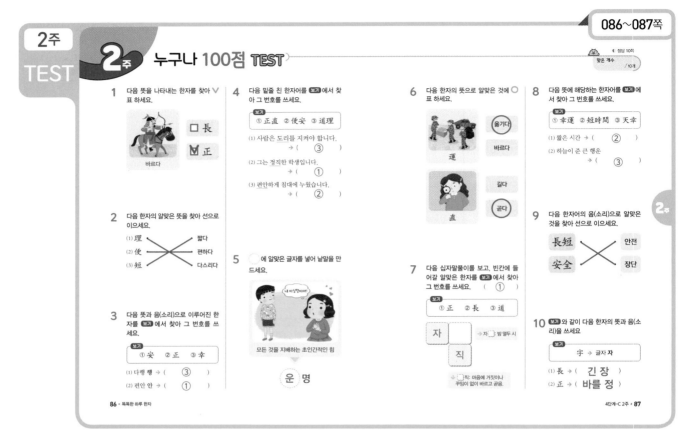

2주
TEST

2주 누구나 100점 TEST

1 다음 뜻을 나타내는 한자를 찾아 ∨표 하세요.

바르다
口 長
☑正

2 다음 한자의 알맞은 뜻을 찾아 선으로 이으세요.

(1) 理 — 짧다
(2) 便 — 편하다
(3) 短 — 다스리다

3 다음 뜻과 음(소리)으로 이루어진 한자를 보기에서 찾아 그 번호를 쓰세요.

보기
① 安 ② 正 ③ 幸

(1) 다행 행 → (③)
(2) 편안 안 → (①)

4 다음 밑줄 친 한자어를 보기에서 찾아 그 번호를 쓰세요.

보기
① 正直 ② 便安 ③ 道理

(1) 사람은 도리를 지켜야 합니다.
→ (③)
(2) 그는 정직한 학생입니다.
→ (①)
(3) 편안하게 침대에 누웠습니다.
→ (②)

5 에 알맞은 글자를 넣어 낱말을 만드세요.

내 이상형이야!

모든 것을 지배하는 초인간적인 힘

운 명

6 다음 한자의 뜻으로 알맞은 것에 ◯표 하세요.

運
옮기다
바르다

直
길다
곧다

7 다음 십자말풀이를 보고, 빈칸에 들어갈 알맞은 한자를 보기에서 찾아 그 번호를 쓰세요. (①)

보기
① 正 ② 長 ③ 道

자 → 자: 밤 열두 시

직
직: 마음에 거짓이나 꾸밈이 없이 바르고 곧음.

8 다음 뜻에 해당하는 한자어를 보기에서 찾아 그 번호를 쓰세요.

보기
① 幸運 ② 短時間 ③ 天幸

(1) 짧은 시간 → (②)
(2) 하늘이 준 큰 행운 → (③)

9 다음 한자어의 음(소리)으로 알맞은 것을 찾아 선으로 이으세요.

長短 — 안전
安全 — 장단

10 보기와 같이 다음 한자의 뜻과 음(소리)을 쓰세요.

보기
字 → 글자 자

(1) 長 → (긴 장)
(2) 正 → (바를 정)

86 · 똑똑한 하루 한자
4단계-C 2주 · 87

2주
특강

2주 특강 생각을 키워요 ❶

창의·융합·코딩

국어+한문 다음 만화를 읽고, 성어의 뜻을 생각해 보세요.

言 語 道 斷
말씀 언 말씀 어 길 도 끊을 단

◆ 성어의 뜻을 살펴보며 빈칸에 알맞은 한자를 채우세요.

언 어 도 단
言 語 道 斷

→ '말할 길이 끊어졌다.'는 뜻으로, 너무나 엄청나거나 기가 막혀서 말로써 나타낼 수가 없음을 이르는 말

88 · 똑똑한 하루 한자
4단계-C 2주 · 89

10 • 똑똑한 하루 한자

2주 특강

2주 특강 생각을 키워요 ❷

창의·융합·코딩

◑ 정답 11쪽

📖 코딩+한문 학교에서 키우는 화분에 물을 주려고 해요. 규칙 에 따라 화살표와 한자어의 음(소리)을 빈칸에 알맞게 적어 보세요.

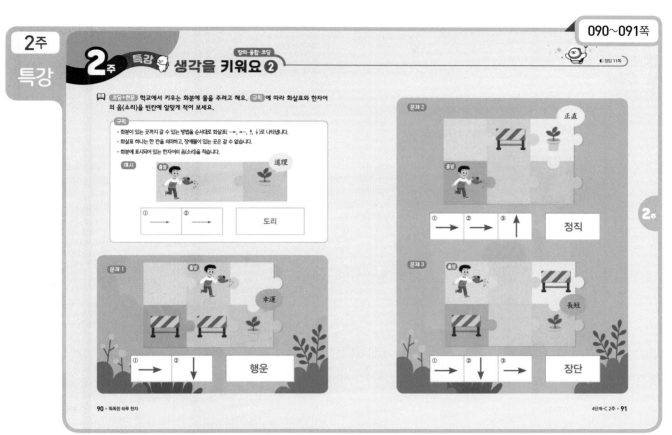

2주 특강

2주 특강 생각을 키워요 ❸

창의·융합·코딩

◑ 정답 11쪽

📖 도덕+한문 다음 글을 읽고, 물음에 답하세요.

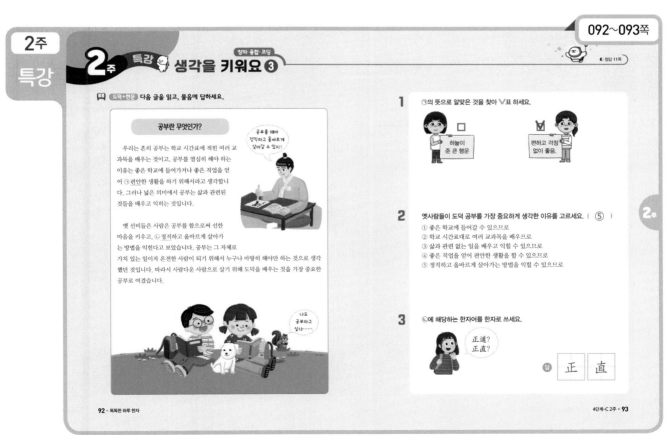

공부란 무엇인가?

우리는 흔히 공부는 학교 시간표에 적힌 여러 교과목을 배우는 것이고, 공부를 열심히 해야 하는 이유는 좋은 학교에 들어가거나 좋은 직업을 얻어 ㉠편안한 생활을 하기 위해서라고 생각합니다. 그러나 넓은 의미에서 공부는 삶과 관련된 것들을 배우고 익히는 것입니다.

옛 선비들은 사람은 공부를 함으로써 선한 마음을 키우고, ㉡정직하고 올바르게 살아가는 방법을 익힌다고 보았습니다. 공부는 그 자체로 가치 있는 일이고 온전한 사람이 되기 위해서 누구나 마땅히 해야만 하는 것으로 생각했던 것입니다. 따라서 사람다운 사람으로 살기 위해 도덕을 배우는 것을 가장 중요한 공부로 여겼습니다.

1 ㉠의 뜻으로 알맞은 것을 찾아 ∨표 하세요.

□ 하늘이 준 큰 행운

☑ 편하고 걱정 없이 좋음.

2 옛사람들이 도덕 공부를 가장 중요하게 생각한 이유를 고르세요. (⑤)
① 좋은 학교에 들어갈 수 있으므로
② 학교 시간표대로 여러 교과목을 배우므로
③ 삶과 관련 없는 일을 배우고 익힐 수 있으므로
④ 좋은 직업을 얻어 편안한 생활을 할 수 있으므로
⑤ 정직하고 올바르게 살아가는 방법을 익힐 수 있으므로

3 ㉡에 해당하는 한자어를 한자로 쓰세요.

正道? 正直?

답 | 正 | 直 |

3주 도입

3주에는
무엇을 공부할까? ❷

☀ 해적이 탐정을 뒤쫓아 보물섬에 가기 위해서는 이번 주에 배울 한자가 있는 섬들을 거쳐야 해요. 보기를 참고하여 ◯에 한자 또는 음(소리)을 써 보고, 순서대로 선으로 이으세요.

보기
始 비로소 시 → 作 지을 작 → 出 날 출 → 發 필 발 → 對 대할 대 → 立 설 립 → 利 이할 리 → 用 쓸 용 → 消 사라질 소 → 火 불 화

3주 1일

행동 한자

始 비로소 시 | 作 지을 작 **기초 실력을 키워요**

기초 집중 연습

1 다음 한자의 뜻과 음(소리)으로 알맞은 것을 찾아 선으로 이으세요.

始 ╳ 짓다 — 작
作 비로소 — 시

2 다음 ◯에 들어갈 알맞은 한자에 ◯표 하세요.

한 겨레나 가계의 맨 처음이 되는 조상을 ◯조라고 합니다.

始   作

3 다음 밑줄 친 한자의 공통된 뜻을 찾아 ◯표 하세요.

始作   動作

짓다   비로소   길다

4 다음 문장에 어울리는 한자어가 되도록 [ ] 안에 알맞은 한자를 보기에서 찾아 그 번호를 쓰세요.

보기
① 始   ② 人   ③ 作   ④ 短

(1) 자동차에 [ ]動을 걸고 출발합니다. → (①)

(2) 나는 밤하늘의 별을 헤아리며 [ ]家의 꿈을 키웁니다. → (③)

5 다음 밑줄 친 한자어의 독음을 쓰세요.

보기
長短 → 장단

(1) 마음이 불안하니 動作이 자연스럽지 않습니다. → (동작)

(2) 인류의 始祖는 정말로 원숭이일까요? → (시조)

6 다음 뜻에 맞는 한자어를 보기에서 찾아 그 번호를 쓰세요.

보기
① 動作   ② 始作   ③ 始動   ④ 作家

● 어떤 일이나 행동의 처음 단계를 이루거나 그렇게 하게 함. → (②)

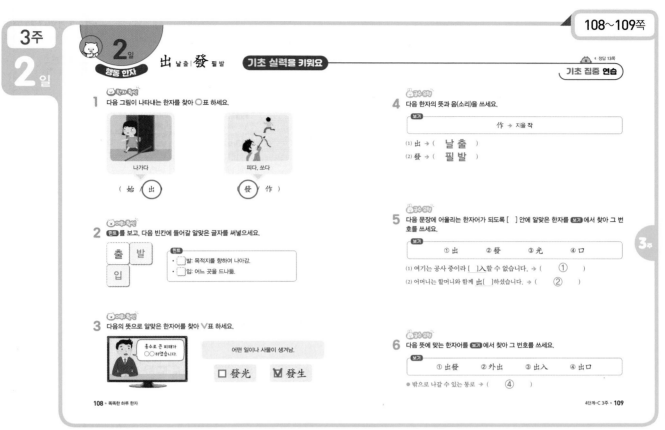

3주 2일

2일 출발 出 날출 | 發 필발 **기초 실력을 키워요** 정답 13쪽

기초 집중 연습

1 다음 그림이 나타내는 한자를 찾아 ○표 하세요.

나가다 (始 / 出)

피다, 쏘다 (發 / 作)

2 힌트를 보고, 다음 빈칸에 들어갈 알맞은 글자를 써넣으세요.

출 발
입

힌트
· 발: 목적지를 향하여 나아감.
· 입: 어느 곳을 드나듦.

3 다음의 뜻으로 알맞은 한자어를 찾아 ∨표 하세요.

홍수로 큰 피해가 ○○하였습니다.

어떤 일이나 사물이 생겨남.

□ 發光　☑ 發生

4 다음 한자의 뜻과 음(소리)을 쓰세요.

보기
作 → 지을 작

(1) 出 → (날 출)
(2) 發 → (필 발)

5 다음 문장에 어울리는 한자어가 되도록 [ ] 안에 알맞은 한자를 보기에서 찾아 그 번호를 쓰세요.

보기
① 出　② 發　③ 光　④ 口

(1) 여기는 공사 중이라 [　]入할 수 없습니다. → (①)
(2) 어머니는 할머니와 함께 出[　]하셨습니다. → (②)

6 다음 뜻에 맞는 한자어를 보기에서 찾아 그 번호를 쓰세요.

보기
① 出發　② 外出　③ 出入　④ 出口

● 밖으로 나갈 수 있는 통로 → (④)

108 · 똑똑한 하루 한자　　　　4단계-C 3주 · 109

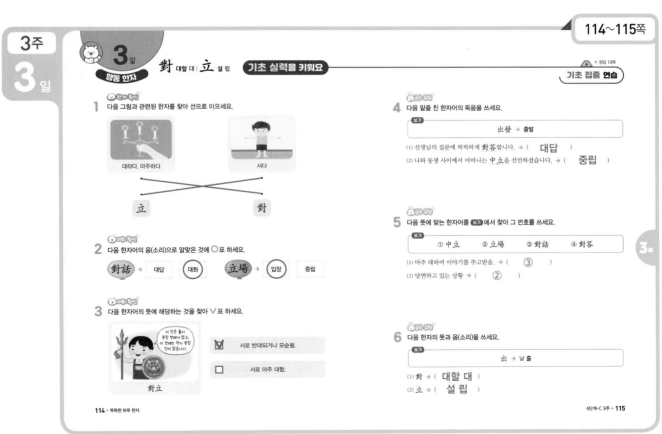

3주 3일

3일 행동 한자 對 대할 대 | 立 설 립 **기초 실력을 키워요** 정답 13쪽

기초 집중 연습

1 다음 그림과 관련된 한자를 찾아 선으로 이으세요.

대하다, 마주하다

서다

立　　對

2 다음 한자어의 음(소리)으로 알맞은 것에 ○표 하세요.

對話 → 대답 / 대화

立場 → 입장 / 중립

3 다음 한자어의 뜻에 해당하는 것을 찾아 ∨표 하세요.

對立

☑ 서로 반대되거나 모순됨.
□ 서로 마주 대함.

4 다음 밑줄 친 한자어의 독음을 쓰세요.

보기
出發 → 출발

(1) 선생님의 질문에 씩씩하게 對答합니다. → (대답)
(2) 나와 동생 사이에서 어머니는 中立을 선언하셨습니다. → (중립)

5 다음 뜻에 맞는 한자어를 보기에서 찾아 그 번호를 쓰세요.

보기
① 中立　② 立場　③ 對話　④ 對答

(1) 마주 대하여 이야기를 주고받음. → (③)
(2) 당면하고 있는 상황 → (②)

6 다음 한자의 뜻과 음(소리)을 쓰세요.

보기
出 → 날 출

(1) 對 → (대할 대)
(2) 立 → (설 립)

114 · 똑똑한 하루 한자　　　　4단계-C 3주 · 115

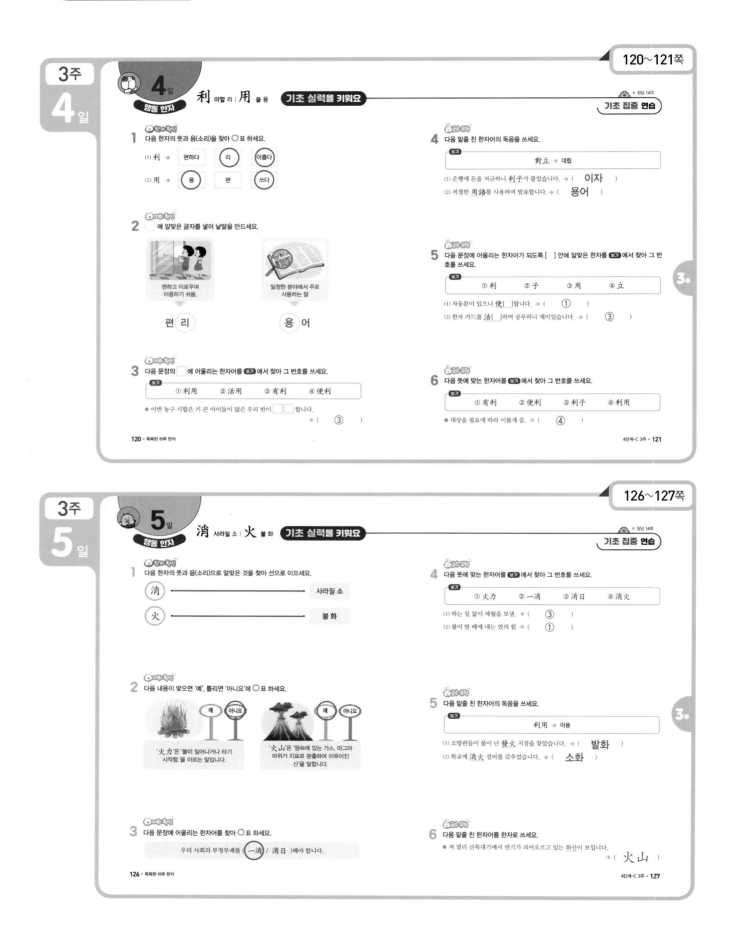

3주 TEST

3주 누구나 100점 TEST

● 정답 15쪽
맞은 개수 /10개

1 다음 한자의 알맞은 뜻을 찾아 선으로 이으세요.

始　發　消

(선 연결)

피다　사라지다　비로소

2 그림에 알맞은 한자를 찾아 ∨표 하세요.

짓다
☑ 作
□ 出

서다
□ 用
☑ 立

3 다음 밑줄 친 한자어의 독음을 쓰세요.

● 차창 밖으로 저 멀리 火山이 보입니다. → (화산)

4 다음과 같은 뜻을 가진 한자를 찾아 ○표 하세요.

부르는 말에 응하여 어떤 말을 함.

⟨對答⟩　對立

5 다음 한자의 음(소리)을 보기에서 찾아 그 번호를 쓰세요.

보기
① 대　② 용　③ 출

(1) 出 → (③)
(2) 對 → (①)
(3) 用 → (②)

6 다음 십자말풀이를 보고, 빈칸에 들어갈 알맞은 한자를 보기에서 찾아 그 번호를 쓰세요. (③)

보기
① 立　② 火　③ 出

외 □
□ 입

외□: 집이나 근무지 따위에서 벗어나 잠시 밖으로 나감.

□입: 어느 곳을 드나듦.

7 다음 한자의 뜻과 음(소리)이 올바른 것에 ∨표 하세요.

對
사라질 대

☑ 出
날 출

8 다음 한자어의 음(소리)으로 알맞은 것을 찾아 선으로 이으세요.

始作　　이용
利用　　시작
(선 교차 연결)

9 다음 뜻에 맞는 한자어를 보기에서 찾아 그 번호를 쓰세요.

보기
① 中立　② 發生　③ 動作

(1) 몸이나 손발 따위를 움직임. (③)
(2) 어느 편에도 치우치지 않고 중간적인 입장에 섬. (①)

10 다음 뜻과 음(소리)에 맞는 한자를 보기에서 찾아 그 번호를 쓰세요.

보기
① 火　② 利　③ 發

(1) 불 화 → (①)
(2) 이할 리 → (②)

3주 특강

3주 특강 생각을 키워요 ❶

창의·융합·코딩

● 정답 15쪽

3주 특강

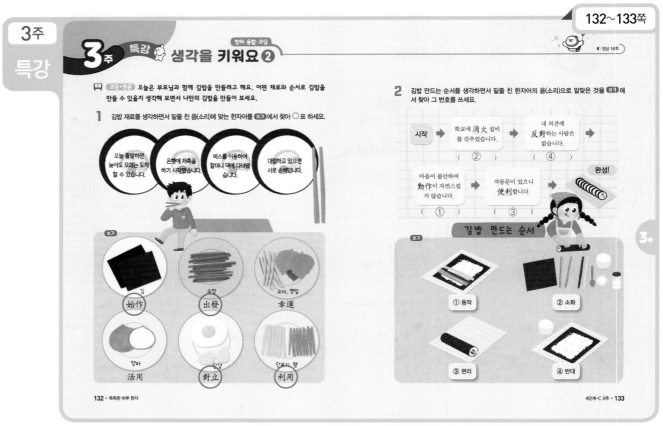

3주 특강

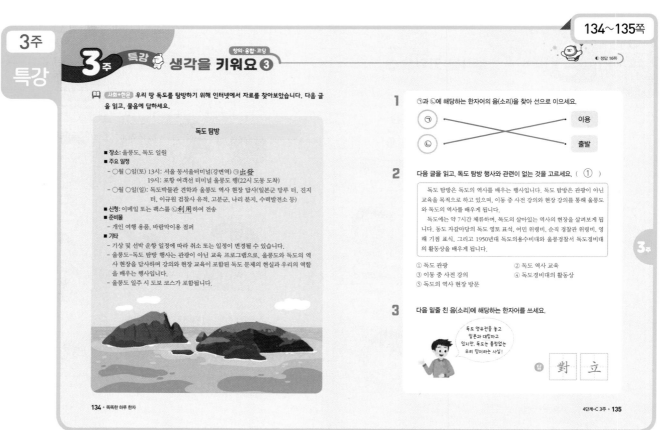

4주 도입

4주에는 무엇을 공부할까? ❷

정답 17쪽

☆ 도깨비가 놀부를 찾고 있어요. 보기 를 참고하여 그림 속에서 이번 주에 배울 한자의 뜻과 음(소리)이 바르게 표시된 길을 따라가 놀부를 찾아보세요.

보기
後 뒤 후   半 반 반   成 이룰 성   功 공 공   大 큰 대   戰 싸움 전
第 차례 제   一 한 일   音 소리 음   樂 즐길 락/노래 악/좋아할 요

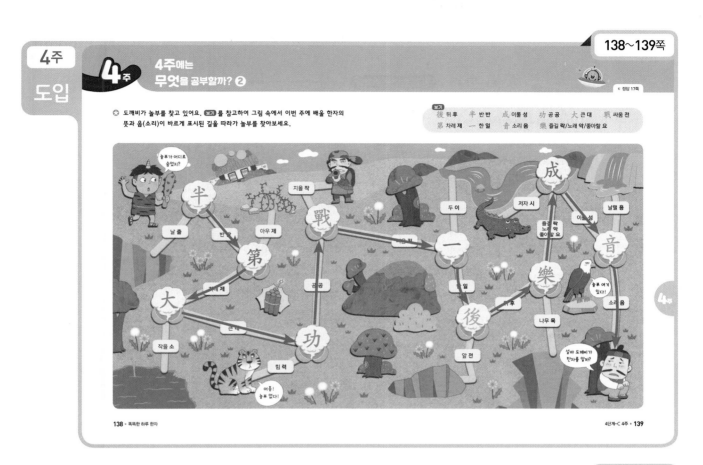

138 · 똑똑한 하루 한자

4단계-C 4주 · 139

4주 1일

1일 기타 한자
後 뒤 후 半 반 반

기초 실력을 키워요

정답 17쪽

기초 집중 연습

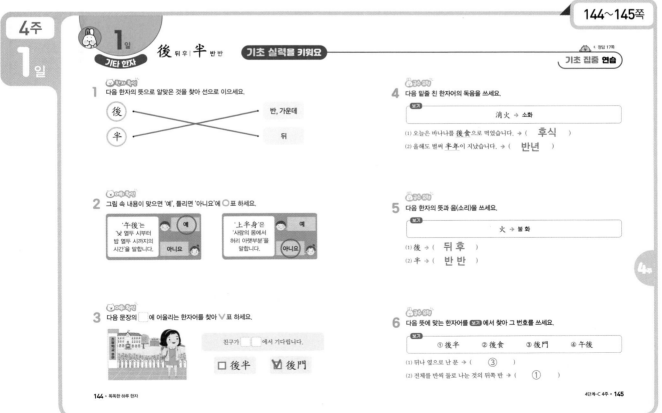

1 다음 한자의 뜻으로 알맞은 것을 찾아 선으로 이으세요.

後 ── 반, 가운데
半 ── 뒤

2 그림 속 내용이 맞으면 '예', 틀리면 '아니요'에 ○표 하세요.

'午後'는 '낮 열두 시부터 밤 열두 시까지의 시간'을 말합니다. → 예 / 아니요

'上半身'은 '사람의 몸에서 허리 아랫부분'을 말합니다. → 예 / 아니요

3 다음 문장의 □에 어울리는 한자어를 찾아 ∨표 하세요.

친구가 □에서 기다립니다.

□ 後半   ☑ 後門

4 다음 밑줄 친 한자어의 독음을 쓰세요.

보기
消火 → 소화

(1) 오늘은 바나나를 後食으로 먹었습니다. → (후식)
(2) 올해도 벌써 半年이 지났습니다. → (반년)

5 다음 한자의 뜻과 음(소리)을 쓰세요.

보기
火 → 불 화

(1) 後 → (뒤 후)
(2) 半 → (반 반)

6 다음 뜻에 맞는 한자어를 보기 에서 찾아 그 번호를 쓰세요.

보기
① 後半   ② 後食   ③ 後門   ④ 午後

(1) 뒤나 옆으로 난 문 → (③)
(2) 전체를 반씩 둘로 나눈 것의 뒤쪽 반 → (①)

144 · 똑똑한 하루 한자

4단계-C 4주 · 145

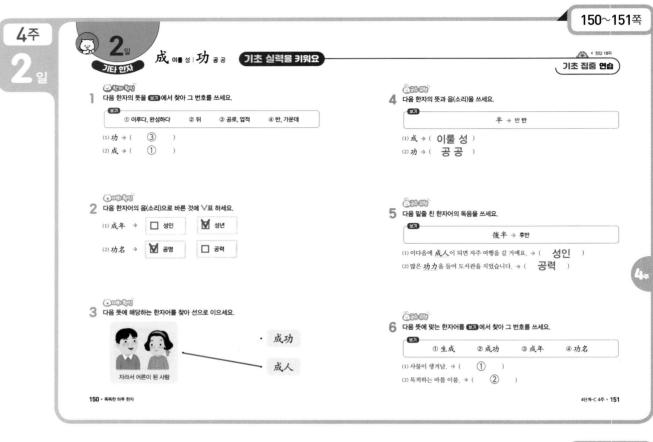

4주 2일

2일 기타 한자 成 이룰 성 | 功 공 공   기초 실력을 키워요   ◀ 정답 18쪽   기초 집중 연습

한자 확인!

1 다음 한자의 뜻을 보기 에서 찾아 그 번호를 쓰세요.

보기
① 이루다, 완성하다   ② 뒤   ③ 공로, 업적   ④ 반, 가운데

(1) 功 → (③)
(2) 成 → (①)

어휘 확인!

2 다음 한자어의 음(소리)으로 바른 것에 V표 하세요.

(1) 成年 → □ 성인   ☑ 성년
(2) 功名 → ☑ 공명   □ 공력

어휘 확인!

3 다음 뜻에 해당하는 한자어를 찾아 선으로 이으세요.

자라서 어른이 된 사람   · 成功
· 成人

급수 연습

4 다음 한자의 뜻과 음(소리)을 쓰세요.

보기
半 → 반 반

(1) 成 → (이룰 성)
(2) 功 → (공 공)

급수 연습

5 다음 밑줄 친 한자어의 독음을 쓰세요.

보기
後半 → 후반

(1) 이다음에 成人이 되면 자주 여행을 갈 거예요. → (성인)
(2) 많은 功力을 들여 도서관을 지었습니다. → (공력)

급수 연습

6 다음 뜻에 맞는 한자어를 보기 에서 찾아 그 번호를 쓰세요.

보기
① 生成   ② 成功   ③ 成年   ④ 功名

(1) 사물이 생겨남. → (①)
(2) 목적하는 바를 이룸. → (②)

150 • 똑똑한 하루 한자   4단계-C 4주 • 151

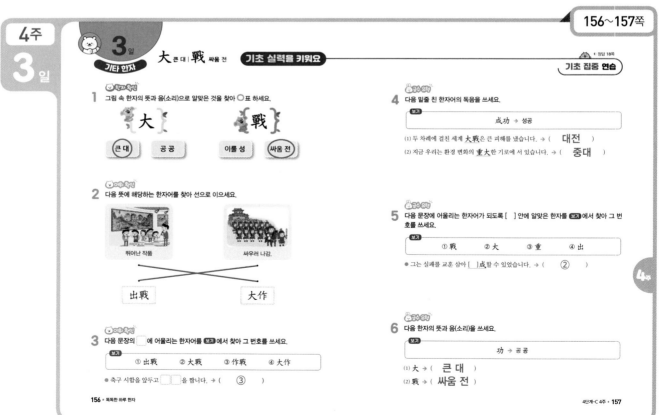

4주 3일

3일 기타 한자 大 큰 대 | 戰 싸움 전   기초 실력을 키워요   ◀ 정답 18쪽   기초 집중 연습

한자 확인!

1 그림 속 한자의 뜻과 음(소리)으로 알맞은 것을 찾아 ○표 하세요.

大 { 큰 대   공 공 }
戰 { 이룰 성   싸움 전 }

어휘 확인!

2 다음 뜻에 해당하는 한자어를 찾아 선으로 이으세요.

뛰어난 작품   싸우러 나감.

出戰   大作

어휘 확인!

3 다음 문장의 ▢에 어울리는 한자어를 보기 에서 찾아 그 번호를 쓰세요.

보기
① 出戰   ② 大戰   ③ 作戰   ④ 大作

● 축구 시합을 앞두고 ▢▢을 짭니다. → (③)

급수 연습

4 다음 밑줄 친 한자어의 독음을 쓰세요.

보기
成功 → 성공

(1) 두 차례에 걸친 세계 大戰은 큰 피해를 냈습니다. → (대전)
(2) 지금 우리는 환경 변화의 重大한 기로에 서 있습니다. → (중대)

급수 연습

5 다음 문장에 어울리는 한자어가 되도록 [ ] 안에 알맞은 한자를 보기 에서 찾아 그 번호를 쓰세요.

보기
① 戰   ② 大   ③ 重   ④ 出

● 그는 실패를 교훈 삼아 [ ]成할 수 있었습니다. → (②)

급수 연습

6 다음 한자의 뜻과 음(소리)을 쓰세요.

보기
功 → 공 공

(1) 大 → (큰 대)
(2) 戰 → (싸움 전)

156 • 똑똑한 하루 한자   4단계-C 4주 • 157

4주 4일

기타 한자 第 차례 제 | 一 한 일 | **기초 실력을 키워요**

정답 19쪽

기초 집중 연습

1 다음 한자의 뜻으로 알맞은 것을 찾아 선으로 이으세요.

第 ─── 차례, 순서
一 ─── 하나

2 인트 를 보고, 다음 빈칸에 들어갈 알맞은 글자를 써넣으세요.

제 일
등

인트
• 제[ ]: 여럿 가운데서 첫째가는 것
• [ ]등: 으뜸가는 등급

3 다음 문장에 어울리는 한자어를 찾아 ○표 하세요.

백화점에서 이전과 (⊙同一 / 萬一)한 가격으로 1+1 행사를 합니다.

4 다음 한자의 뜻과 음(소리)을 쓰세요.

보기
大 → 큰 대

(1) 第 → (차례 제)
(2) 一 → (한 일)

5 다음 문장에 어울리는 한자어가 되도록 [ ]안에 알맞은 한자를 보기 에서 찾아 그 번호를 쓰세요.

보기
① 一 ② 三 ③ 大 ④ 第

(1) 萬[ ] 내가 합격한다면 어머니께서 가장 기뻐할 것입니다. → (①)
(2) 건물을 빨리 짓는 것도 좋지만, 안전이 [ ]一 중요합니다. → (④)

6 다음 뜻에 맞는 한자어를 보기 에서 찾아 그 번호를 쓰세요.

보기
① 第一 ② 同一 ③ 萬一 ④ 一等

• 어떤 것과 비교하여 똑같음. → (②)

162 · 똑똑한 하루 한자

4단계-C 4주 · 163

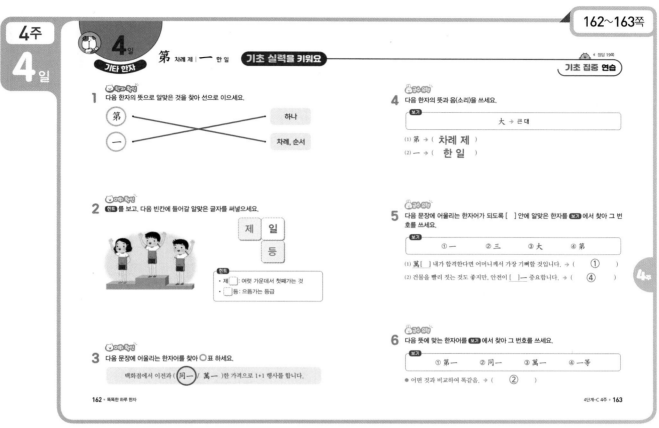

4주 5일

기타 한자 音 소리 음 | 樂 즐길 락·노래 악·좋아할 요 | **기초 실력을 키워요**

정답 19쪽

기초 집중 연습

1 다음 한자의 뜻과 음(소리)을 찾아 ∨표 하세요.

(1) 音 → ☑ 소리 □ 악 ☑ 음
(2) 樂 → ☑ 락 □ 배우다 ☑ 즐기다

2 다음 내용이 맞으면 '예', 틀리면 '아니요'에 ○표 하세요.

'和音'은 '높이가 다른 둘 이상의 음이 함께 울릴 때 어울리는 소리'를 뜻합니다. 예 아니요

'音樂'은 '몸과 마음이 편안하고 즐거움.'을 뜻합니다. 예 아니요

3 다음 밑줄 친 한자어를 보기 에서 찾아 그 번호를 쓰세요.

보기
① 和音 ② 音樂 ③ 發音 ④ 子音

• 발음이 분명하지 않으면 뜻을 제대로 전달할 수 없습니다. → (③)

4 다음 뜻에 맞는 한자어를 보기 에서 찾아 그 번호를 쓰세요.

보기
① 音樂 ② 樂工 ③ 和音 ④ 發音

(1) 음악을 연주하는 사람 → (②)
(2) 음성을 냄. → (④)

5 다음 문장에 어울리는 한자어가 되도록 [ ]안에 알맞은 한자를 보기 에서 찾아 그 번호를 쓰세요.

보기
① 音 ② 工 ③ 樂 ④ 第

(1) 숲속의 새들이 和[ ]을 맞춰 노래를 부릅니다. → (①)
(2) 자연 속에서 安[ ]한 생활을 즐기고 싶습니다. → (③)

6 다음 밑줄 친 한자어의 독음을 쓰세요.

보기
第一 → 제일

• 어머니께서는 고전 音樂을 좋아하십니다. → (음악)

168 · 똑똑한 하루 한자

4단계-C 4주 · 169

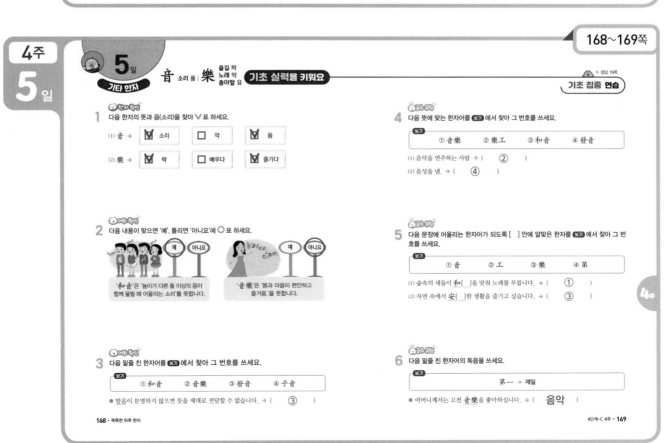

4주 TEST

4주 누구나 100점 TEST

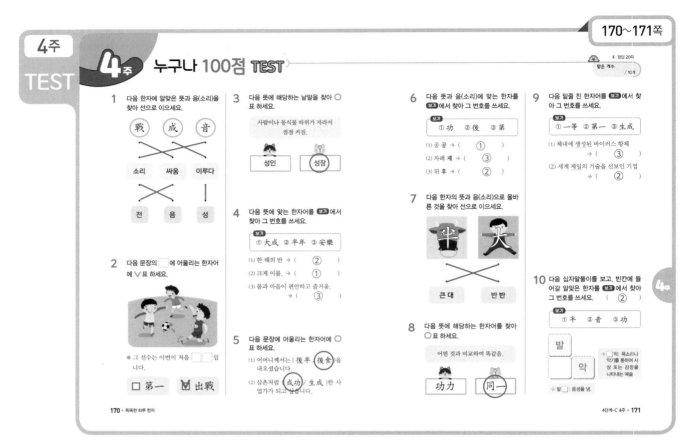

4주 특강

4주 특강 생각을 키워요 ①

창의·융합·코딩

4주 특강

4주 특강 생각을 키워요 ❷

창의·융합·코딩

코딩+한문 친구들에게 내가 키우는 금붕어를 소개해 주려고 해요. 다음 한자어의 음(소리)으로 알맞은 모습을 한 물고기를 찾고, 오른쪽 그림에서 ○표 하세요.

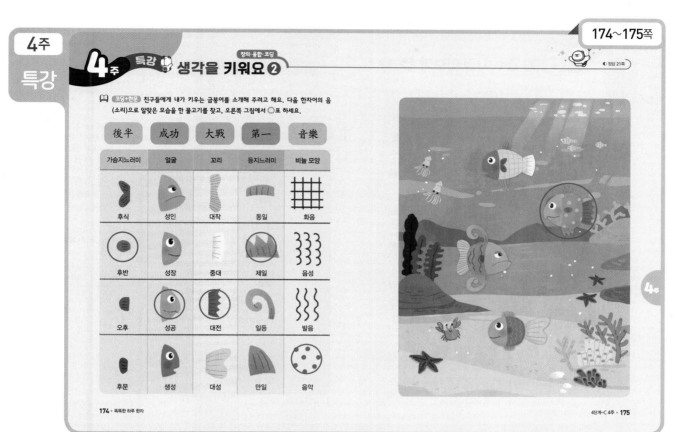

4주 특강

4주 특강 생각을 키워요 ❸

창의·융합·코딩

음악+한문 좋은 소리를 내기 위한 바른 자세와 호흡법을 알아보고, 물음에 답하세요.

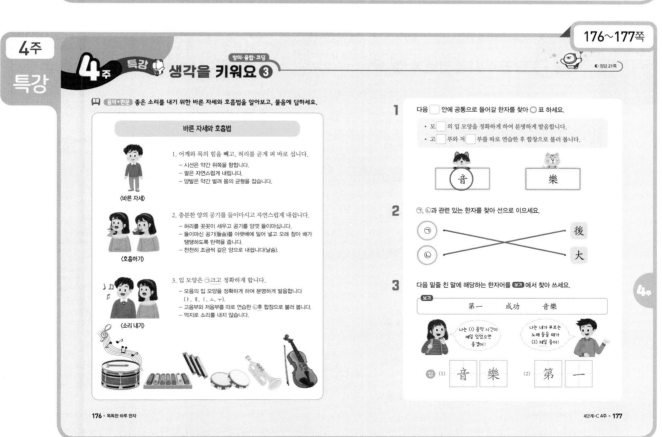

6급Ⅱ 급수 시험

6급Ⅱ 급수 시험 맛보기 1회

◀ 정답 22쪽

[문제 1-8] 다음 밑줄 친 漢字語한자어의 讀音(독음: 읽는 소리)을 쓰세요.

보기
漢字 → 한자

1 오빠는 언제나 싫은 氣色 없이 내 책가방을 들어 줍니다. (기색)

2 消火기는 문 근처에 있습니다. (소화)

3 선생님은 고전 音樂을 좋아하십니다. (음악)

4 밥 먹은 直後 눕는 것은 좋지 않습니다. (직후)

5 미래의 내 男便을 그려 봅니다. (남편)

6 일기를 쓰며 오늘 하루를 反省해 봅니다. (반성)

7 경기가 後半으로 갈수록 더 흥미진진해집니다. (후반)

8 비상 出口는 반대쪽에 있습니다. (출구)

[문제 9-16] 다음 漢字한자의 訓(훈: 뜻)과 音(음: 소리)을 쓰세요.

보기
字 → 글자 자

9 孝 (효도 효)

10 不 (아닐 불)

11 長 (긴 장)

12 運 (옮길 운)

13 始 (비로소 시)

14 立 (설 립)

15 戰 (싸움 전)

16 成 (이룰 성)

[문제 17] 다음 중 뜻이 서로 반대(상대)되는 漢字한자끼리 연결되지 않은 것을 고르세요.

17 ① 道 ↔ 理   ② 心 ↔ 身
③ 出 ↔ 入   ④ 火 ↔ 水
(①)

[문제 18] 다음 문장에 어울리는 漢字語한자어가 되도록 ( ) 안에 알맞은 한자를 보기 에서 찾아 그 번호를 쓰세요.

보기
① 注   ② 第   ③ 運   ④ 正

18 나는 세계 ( )一의 프로그래머가 되고 싶습니다. (②)

[문제 19] 다음 뜻에 맞는 漢字語한자어를 보기 에서 찾아 그 번호를 쓰세요.

보기
① 下直   ② 孝道
③ 不信   ④ 反問

19 물음에 대답하지 아니하고 되받아 물음. (④)

[문제 20~23] 다음 밑줄 친 漢字語한자어를 漢字로 쓰세요.

20 오늘은 내 생일입니다. (生日)

21 대문을 활짝 열고 마당 청소를 하였습니다. (大門)

22 옛날, 산중에는 호랑이가 많았다고 합니다. (山中)

23 나는 내 동생과 연년생입니다. (年年生)

[문제 24~25] 다음 漢字한자의 진하게 표시된 획은 몇 번째 쓰는 획인지 보기 에서 찾아 그 번호를 쓰세요.

보기
① 첫 번째   ② 세 번째
③ 다섯 번째   ④ 일곱 번째

24 不 (②)

25 幸 (③)

6급Ⅱ 급수 시험

6급Ⅱ 급수 시험 맛보기 2회

◀ 정답 22쪽

[문제 1-8] 다음 밑줄 친 漢字語한자어의 讀音(독음: 읽는 소리)을 쓰세요.

보기
漢字 → 한자

1 이 열차는 오전 8시에 出發합니다. (출발)

2 가족 간의 對話가 중요합니다. (대화)

3 우리 집 가훈은 '성실과 正直'입니다. (정직)

4 계절이 바뀔 때는 감기에 注意해야 합니다. (주의)

5 半年 동안 많은 성과를 이루었습니다. (반년)

6 친구들의 응원을 받으니 勇氣가 납니다. (용기)

7 언제나 一等이 아니어도 좋습니다. (일등)

8 네 잎 클로버는 幸運의 표시입니다. (행운)

[문제 9-16] 다음 漢字한자의 訓(훈: 뜻)과 音(음: 소리)을 쓰세요.

보기
字 → 글자 자

9 心 (마음 심)

10 信 (믿을 신)

11 後 (뒤 후)

12 理 (다스릴 리)

13 作 (지을 작)

14 用 (쓸 용)

15 音 (소리 음)

16 功 (공 공)

[문제 17] 다음 중 뜻이 서로 반대(상대)되는 漢字한자끼리 연결되지 않은 것을 고르세요.

17 ① 大 ↔ 小   ② 長 ↔ 短
③ 幸 ↔ 運   ④ 前 ↔ 後
(③)

[문제 18] 다음 문장에 어울리는 漢字語한자어가 되도록 ( ) 안에 알맞은 한자를 보기 에서 찾아 그 번호를 쓰세요.

보기
① 樂   ② 反   ③ 勇   ④ 不

18 音( ) 시간에 합창 연습을 합니다. (①)

[문제 19] 다음 뜻에 맞는 漢字語한자어를 보기 에서 찾아 그 번호를 쓰세요.

보기
① 第一   ② 長成
③ 始祖   ④ 功力

19 자라서 어른이 됨. (②)

[문제 20~23] 다음 밑줄 친 漢字語한자어를 漢字로 쓰세요.

20 화산이 폭발하면 신속히 대피해야 합니다. (火山)

21 한 번뿐인 인생을 헛되이 살 수 없습니다. (人生)

22 만일 제가 반장이 된다면 우리 반의 일꾼이 되겠습니다. (萬一)

23 내 키가 1년 만에 훌쩍 커졌습니다. (一年)

[문제 24~25] 다음 漢字한자의 진하게 표시된 획은 몇 번째 쓰는 획인지 보기 에서 찾아 그 번호를 쓰세요.

보기
① 첫 번째   ② 세 번째
③ 다섯 번째   ④ 일곱 번째

24 始 (②)

25 功 (①)

memo

memo